DRANCY

OU LE TRAVAIL D'OUBLI

DRANCY
OU LE TRAVAIL D'OUBLI

WILLIAM BETSCH

Traduit de l'anglais par Gilles Berton

Avenue Henri Barbusse, l'ancienne route des Petits-Ponts, Drancy, 1998.

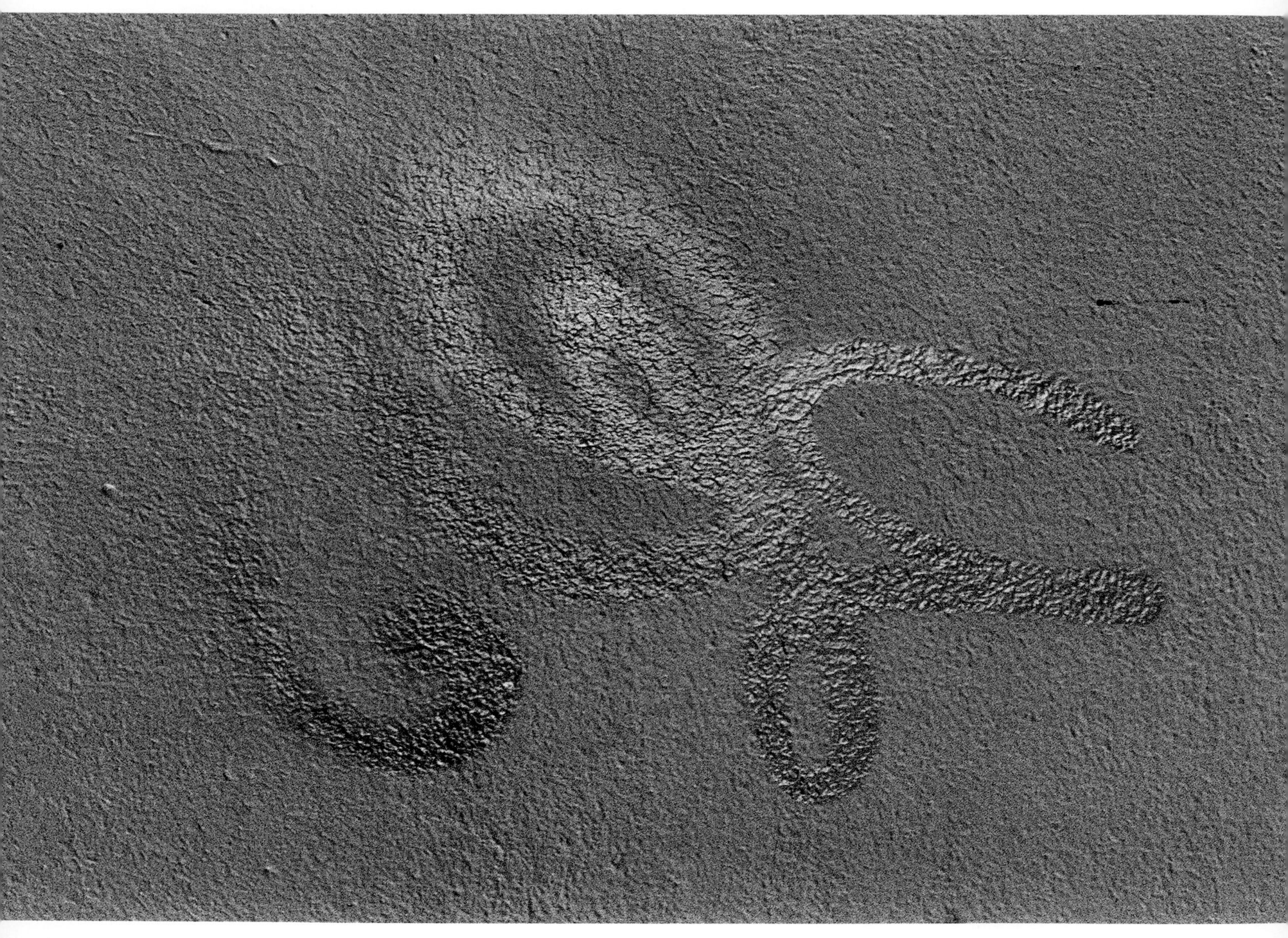

Cité de la Muette.

Avenue Henri Barbusse.

« *Mesures contre les Juifs, camp de concentration, Drancy. Dans la cour, sont rassemblés les Juifs avant leur transport vers l'Est* », 1942.

Avenue Henri Barbusse.

L'esplanade Charles de Gaulle et la stèle commémorative (1976) de Shlomo Selinger à l'entrée de la Cité de la Muette, avenue Jean Jaurès.

L'ancienne gare de Bobigny, 2000.

Diorama du débarquement allié en Normandie, Club de Modélisme Drancéen, Cité de la Muette.

Rue Auguste Blanqui, Cité de la Muette, l'ancien Bloc III des cadres du camp.

Arrêt de bus Quatre Routes, avenue Henri Barbusse.

« Le passé se souvient du futur. »

Avenue Jean Jaurès, Cité de la Muette.

Avenue Henri Barbusse.

Avenue Henri Barbusse.

Diorama de Waffen-SS traquant des Partisans, Club de Modélisme Drancéen.

France, 1938.

Avenue Jean Jaurès, Cité de la Muette.

Carrefour des Quatre Routes.

Avenue Jean Jaurès, Cité de la Muette.

Dans un appartement de la Cité de la Muette.

Arrêt de bus Cimetière Parisien de Pantin, avenue du Général Leclerc.

Cité de la Muette, 1999.

Cité de la Muette, 1942.

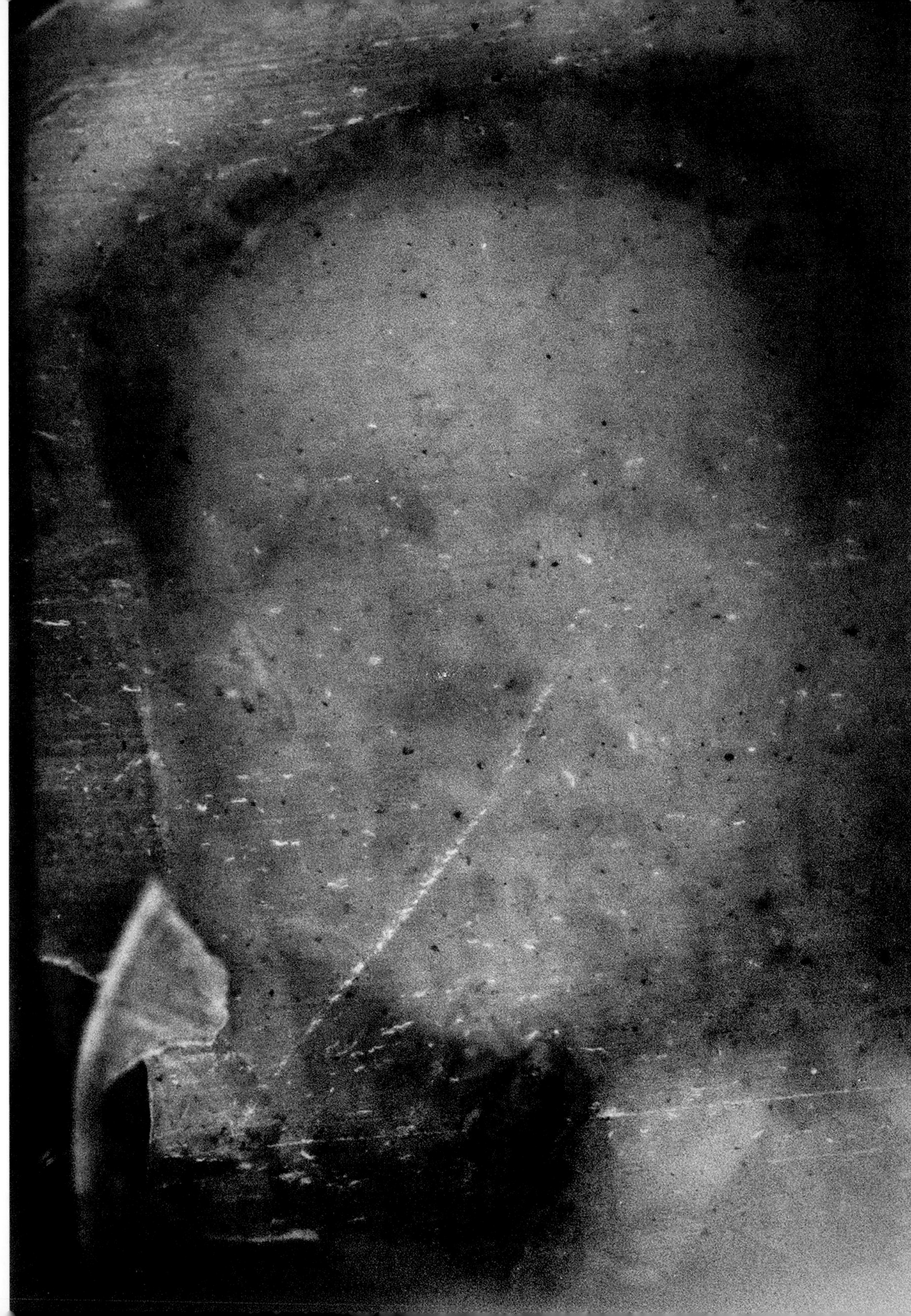

UV

La bague en argent affleurait du sol limoneux du cachot ; c'est une chevalière, un modèle « à secret », courant dans les années 1940, souvent appelée, tout simplement, « un secret » ou parfois « un poison ». Une fois ouvert du bout de l'ongle, son chaton gravé d'initiales révèle une photographie pas plus grande qu'une écaille de poisson, et aussi blanche, délavée par le temps. Le visage émergera plus tard, avec réticence, débusqué de la tanière de l'émulsion par des ondes d'une longueur inférieure à celles de la lumière visible : une tête d'homme, un front haut auréolé de cheveux foncés, des yeux pâles largement écartés, un nez bien dessiné, des lèvres pleines écorchées par une entaille vert vif griffant l'image en diagonale. L'anneau a été rétréci. Les lettres étaient-elles ses initiales à lui, ou à elle ?

Les traces laissées par les prisonniers des cachots souterrains de Drancy sont des messages inscrits *in extremis*. Les murs de cette « prison dans la prison » portent également les traces des collaborateurs qui, à la Libération, furent à leur tour enfermés dans ces cellules.

Il était une fois Drancy, centre de détention à partir de 1939, sinon dès la fin 1938, géré par la police française sans interruption jusqu'à sa fermeture en 1946. Son statut administratif de « camp de concentration », à l'époque, fut mué dans le souvenir collectif en « camp de transit », comme on parle de n'importe quelle gare de proche banlieue, « Drancy Avenir ». Drancy fut les deux.

De 1942 à 1944, plus de 75 500 Juifs, des Roms par centaines voire par milliers (trois ? seize ?) et 85 000 prisonniers non-raciaux – francs-maçons, communistes, socialistes, homosexuels, syndicalistes, gaullistes, etc. –, dont 42 000 pour faits de résistance, furent déportés de France. Sur les 38 000 qui revinrent, moins de 2 000 étaient juifs.

L'immense majorité des 67 693 Juifs déportés de Drancy au cours des trois années où le camp fonctionna comme *Judenlager*, du 20 août 1941 au 17 août 1944, étaient des immigrants originaires de soixante-deux pays, dont l'Afrique du Nord française. Entre 7 699 et 7 997 étaient nés français. A la Libération, il restait 1 518 détenus dans le camp [1].

Avec quatre satellites principaux – Royallieu à Compiègne ; Austerlitz, Bassano et Lévitan à Paris –, Drancy centralisait plus d'une centaine de camps en France. Soixante-deux des soixante-treize convois de déportation de Juifs hors de France en partirent. La tête de ligne ferroviaire de Drancy, longeant l'endroit dit « La Folie », reliait le camp à Auschwitz où la plupart des déportés furent gazés dès leur arrivée.

Fast-forward. Des ados fument des pétards dans les entrées, des mères en tchador et sari déambulent avec poussettes. Dans les coins, des préservatifs usagés, des seringues. Une cité comme les autres avec ses trafics, sa vie. Cinq cents habitants dans des studios et des deux-pièces.

Intérieur-jour. On se rencontre à la boîte aux lettres. Elle vient de déménager, est là juste pour prendre le courrier, son enfant dans les bras. Elle montre l'appartement. L'hiver où ils s'y sont installés, dit-elle, ils voyaient chaque nuit une tête de vieillard barbu se former dans le givre recouvrant la fenêtre de leur chambre. Ils avaient même réussi à photographier l'image. Elle me promet de m'apporter la photo.

1. Rajsfus, Maurice, *Drancy, un camp de concentration très ordinaire 1941-1944*, Le Cherche-Midi, Paris, 1996, p. 16, 356, 364-365.

La stèle de Selinger, Cité de la Muette.

PAGE CI-CONTRE : Cité de la Muette.

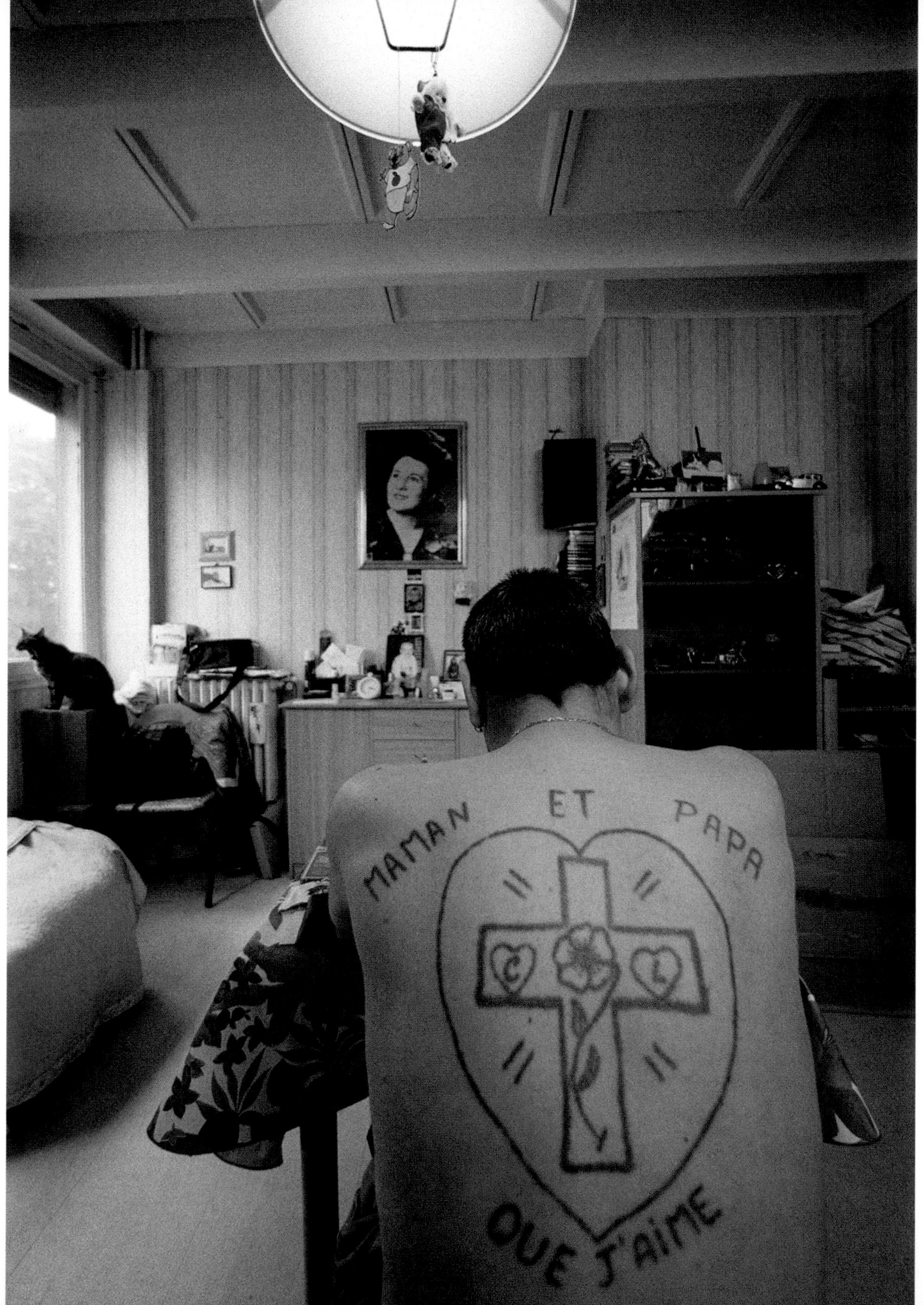
MAMAN ET PAPA
QUE J'AIME

Diorama des Partisans blessés, Club de Modélisme Drancéen.

PAGE CI-CONTRE : Cour centrale.

Restaurant, rue Auguste Blanqui.

Club de Modélisme Drancéen, Section Trains – l'ancien bureau du commandant juif du camp (entrée 22/1).

Cité de la Muette, visite pédagogique des classes de province.

Chez un jeune couple.

Escalier du sous-sol.

Dans l'appartement d'un couple en déménagement suite à la naissance de son premier enfant.

80
80
LA CHROMOTHÉRAPIE

PAGE CI-CONTRE : Bureau du concierge de la Cité.

Chez un jeune couple.

Chez une veuve, locataire depuis 1956.

Chez une sexagénaire d'origine guadeloupéenne.

Les personnes d'un certain âge se souviennent que dans les familles, longtemps après la guerre, on menaçait souvent les enfants d'un : « *Si tu n'es pas sage, je t'envoie à Drancy !* »

Chez un vendeur de cinquante-cinq ans.

Chez un jeune célibataire.

PAGE CI-CONTRE : Avenue Henri Barbusse.

LE SILENCE
c'est aujourd'hui
avec Leroy Merlin
LEROY MERLIN
...et vos envies prennent Vie!
More
LAVAGE

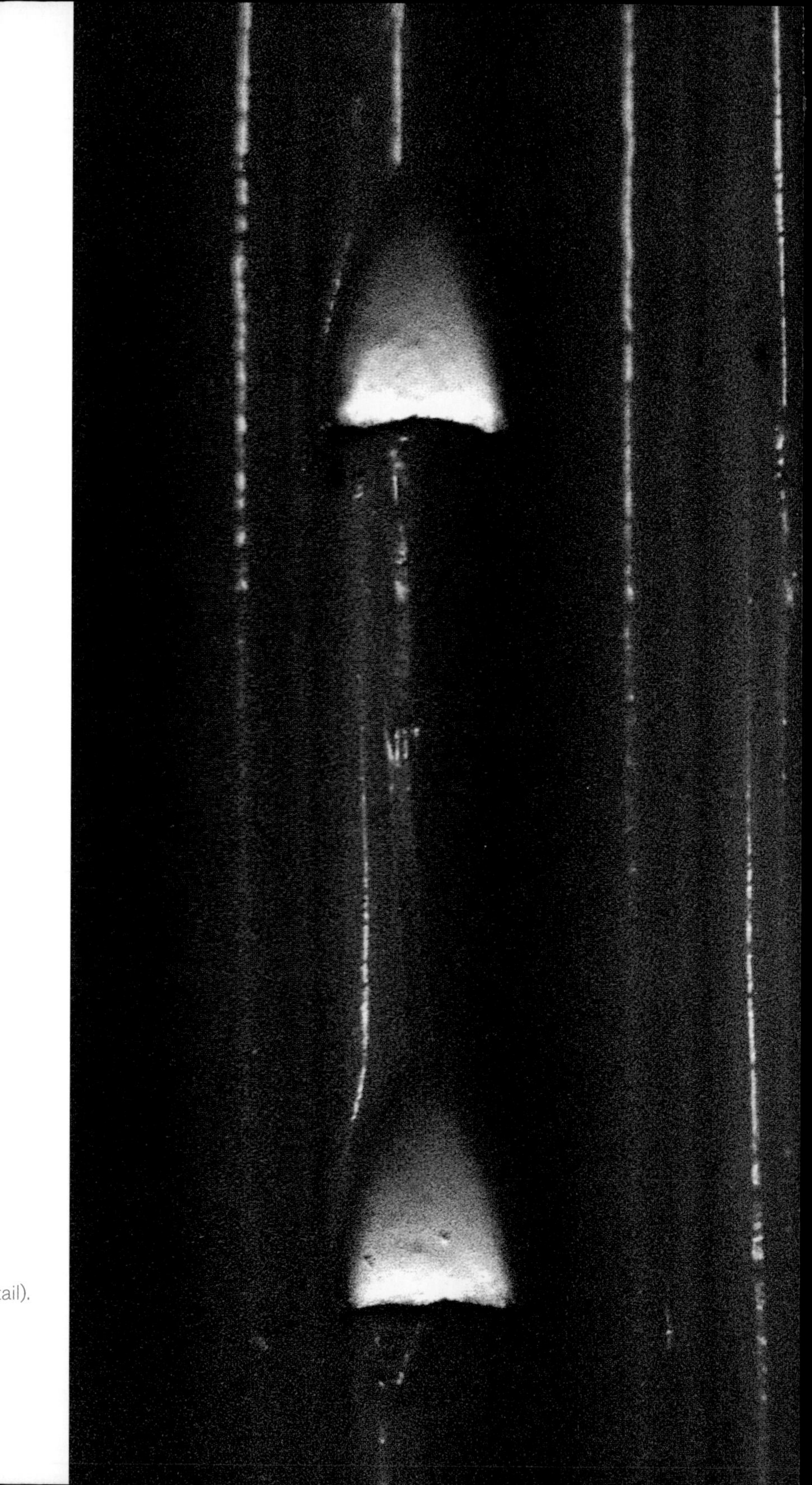

Volet coulissant de Jean Prouvé (détail).

LE TRAVAIL D'OUBLI

J'allais raccrocher lorsqu'elle ajouta brusquement : « *Je voulais vous dire une chose. Moi, je me souviens d'être allée à Drancy en 46, j'étais très petite. Et je me souviens d'avoir vu beaucoup de textes écrits, à même les murs et sur le sol, c'est-à-dire que* [*aujourd'hui*] *sous les papiers, sous les plâtres, ou sous les planchers il y a des textes, certainement. A même le béton. Dans les appartements.* [...] *sur les tuyaux. C'était des tuyaux, il me semble maintenant avec le recul, j'ai l'impression c'était des tuyaux de plomb. J'avais beaucoup d'intuition ; et je suis montée, je me suis promenée dans les étages. C'était des écrits en français. Je n'ai rien vu en yiddish. Et je me souviens qu'il y a eu..., j'ai vu beaucoup de..., beaucoup de cheveux, des poignées de cheveux... je ne sais pas, j'avais onze ans. J'aurais voulu le dire, mais je n'ai jamais trouvé à qui le dire. Alors je vous ai dit ce que j'ai vu. Voilà. C'est tout ce que je peux faire* [1]. »

Jeudi 18 novembre 1999, Cité de la Muette, Drancy. Le givre recouvre les platanes. Sur un panneau publicitaire, l'image radiographique d'un pied – ce qui est dessous se révèle ? –, une publicité pour Talians, « L'eau des os », qui sonne plus comme une incantation que comme un slogan : Lo Dèz O. Derrière le comptoir d'un commerçant, deux flèches pointent vers le bas : autocollants publicitaires pour l'insecticide KAPO. Mon assistante me donne un coup de coude. Je me tiens debout sur une trappe en bois aux gonds polis par d'innombrables bottes. « *Vous avez une cave ? Je peux jeter un coup d'œil ? – Bien sûr, si vous voulez. Mais il n'y a rien. Croyez-moi, nous vivons ici depuis quatre ans et j'ai bien cherché. J'étais curieux. Mais nous n'avons jamais rien trouvé.* »

Je braque le faisceau de la torche dans l'obscurité, puis avance la tête. Dans l'écusson jaunâtre projeté par la lampe au tungstène : « ER 18 11 44 EVASION » inscrit à la craie en capitales d'imprimerie sur le ciment noirci près du plafond, une inscription que vous ne voyez pas si vous faites attention où vous mettez les pieds dans l'escalier. « *Quelle date sommes-nous ?* »

L'ancien fonctionnaire de Vichy Maurice Papon [2] a déclaré au cours de son procès qu'il ne savait rien. « *J'ignorais ce qu'était Drancy.* » J'ai interrogé de jeunes collègues journalistes. « *Drancy ? – Un camp de transit pendant la guerre.* » « *Qu'est-ce qu'il y a là-bas aujourd'hui ? – Aucune idée.* » « *Tu y es déjà allé ? – J'vois pas.* » « *On l'enseigne à l'école ? – On nous en a parlé un quart d'heure, la veille des vacances de Pâques...* » L'édition 1964 du Larousse, le standard culturel à l'époque de leur naissance, est tout aussi lacunaire : « *Camp de prisonniers politiques, 1941-1944.* »

« *C'est de la foutaise.* » Une voisine grimaça un sourire : « *L'avenue Barbusse, tout le monde l'appelait le Couloir de la mort.* » Puis elle fronça les sourcils en se penchant vers moi. « *Mais Papon, c'est un vrai salaud* », dit-elle avant de répéter : « *Un vrai, hein ?* » en soutenant mon regard pour s'assurer que je saisissais bien la différence. Elle était catégorique : elle se méfiait des « Arabes » ; mais elle n'avait « *rien contre* » les Juifs. Sur un ton confidentiel : « *Ils nous aiment pas, hein ?* »

En 1944, à 17 ans, Josiane Tingaud, cette pétillante Alsacienne qui élevait sa famille dans le 11ᵉ arrondissement de Paris, travaillait comme femme de ménage chez le maire de Drancy. Alors qu'elle était hébergée par des parents en Normandie au moment où les bombardements s'intensifièrent, un soldat allemand lui sauva la vie en la protégeant de son corps dans un fossé lors d'un mitraillage aérien. « *Ils n'étaient pas tous si mauvais que ça, hé ?* », dit-elle en m'adressant un clin d'œil.

« *Je n'aimais pas passer près du camp. J'essayais de l'éviter.* [...] *Ben, parce qu'il y avait des gendarmes et des policiers tout autour, vous pouviez vous attirer des ennuis. Cet endroit, ça sentait la mort.* » Physiquement ? « *Oui, physiquement. L'odeur, quoi.* »

Entre nous, sur la nappe au crochet, le plan de l'installation militaire d'avant-guerre, le *Petit Atlas des bâtiments militaires de la Garde républicaine mobile de Drancy* [3]. Je lui indiquai la légende d'un local rectangulaire représenté sur le périmètre sud-ouest de la caserne. Elle examina le document, déchiffrant le texte à haute voix : « *Emplacement... pour l'écurie, ... chambre à gaz... et dépôt de munitions.* » Chambre à gaz ?

Le terme écrit en clair ne cadre pas avec les années 1930, et, rétrospectivement, il fait froid dans le dos. S'agissait-il d'un lieu de stockage de butane pour véhicules ? D'une salle d'entraînement pour le maniement de produits lacrymogènes ? D'une unité d'euthanasie vétérinaire ?

A Drancy, il faut s'habituer aux lacunes. Et pour cause. En 1948, l'État français ordonna la destruction de tous les documents administratifs concernant les « israélites ». Ces documents étaient désormais considérés comme juridiquement obsolètes et « ne présentant plus d'intérêt pour la Justice ou pour les intéressés eux-mêmes [4] ». Plus de quinze tonnes d'archives furent ainsi détruites. Le cabinet des deux architectes de la Cité de la Muette, Eugène Beaudouin et Marcel Lods, fut détruit par les flammes avec toutes ses archives [5]. Les dossiers de Beaudouin disparurent dans un incendie à bord de sa péniche. Les archives de la gare du Bourget brûlèrent en 1981 [6]. Les registres de la gare de Bobigny, d'où partaient les convois vers les camps de la mort, disparurent dans un incendie en 1990 ; un autre incendie devait détruire la double salle des voyageurs en 2006. Les minutes des tribunaux disciplinaires mis sur pied par des détenus à l'encontre d'autres détenus à Drancy et à Compiègne disparurent avant 1990 des archives du Centre de documentation juive contemporaine (CDJC) de Paris [7]. Les archives de guerre de la préfecture restèrent scellées jusqu'en 2005, placées sous le contrôle de la veuve de l'officier qui, en 1941, avait établi la première liste complète des résidents juifs à Paris [8]...

En tout état de cause, ce qui était prévu par les architectes à cet endroit était un système de chauffage central. Inventé en 1924 par Louis Garchey, chargé par l'OPHBM (Office Public d'Habitation Bon Marché) du département de la Seine de la récupération en masse des ordures ménagères et de leur acheminement gravitationnel par voie humide, le premier réseau fondé sur le « système Garchey » fut installé à la cité-jardin du Plessis-Robinson. En 1929, le premier exemplaire d'un incinérateur de type nouveau capable de transformer en vue de leur combustion des matières organiques préalablement immergées dans l'eau (la vapeur pressurisée de la chaudière étant ensuite exploitée pour le chauffage des immeubles) fut mis en place à la Cité HBM de Vanves. Il était prévu que Drancy soit équipé de la quatrième génération de cette technologie, permettant de façon entièrement automatisée l'alimentation de la chaudière en matières séchées, le tout complété, selon les premières esquisses des architectes publiées entre 1927 et 1929 par une grande piscine chauffée grâce à la chaudière.

Le terme « chambre à gaz » a-t-il été utilisé par des militaires en lieu et place de « chambre à vapeur », terme qui désigne l'espace entre la surface du liquide et la paroi supérieure de la chaudière ? Mais ce n'est qu'un élément interne de l'ensemble de la mécanique de chaudière prévue, appelée d'ailleurs dans le jargon des techniciens de Garchey « l'essoreuse ».

Désignée sur les premiers plans et maquettes comme une aire de « services généraux » comprenant des installations électriques ainsi que des installations de chauffage, de pompage pneumatique et d'incinération de déchets, la coûteuse installation ne fut jamais réalisée. Douze postes de collecte, semblables à des puisards, furent bien aménagés dans les murs de la galerie technique du Fer à cheval après la construction de ceux-ci mais jamais connectés. Il n'y a jamais eu de chauffage central avant-guerre, et encore moins de piscine chauffée, dans la Cité de la Muette.

« *Mais il est quand même étrange qu'ils aient envisagé de stocker des munitions près d'un feu, non ? Toujours, les gens disaient que lorsqu'on voyait de la fumée sortir de la première tour, c'est qu'ils brûlaient encore des Juifs à Drancy. Je ne sais pas si c'était vrai ou pas ; mais c'est ce qu'on disait.* » De la fumée grisâtre, pas blanche, précise-t-elle.

A la Muette, un commerçant, Gérard Locquet, nous raconte que lui aussi a entendu ses clients les plus âgés dire cela. Lors de sa visite de la Cité en 1985, l'historien Maurice Rajsfus, en entendant ces mêmes propos, avait estimé qu'il s'agissait d'un fantasme rétroactif. « *Lorsque les souvenirs tendent à s'effacer, l'imagination vient parfois à la rescousse. La volonté est évidente de forcer le détail sur un passé peu reluisant. Ce qui conduit à des récits fantaisistes qui confortent les narrateurs :* " En dessous des grandes tours, il y avait des chambres à gaz en sous-sol. " [...] *La rumeur publique – exprimée un demi-siècle plus tard – gonfle une réalité déjà suffisamment sinistre* [9]. »

Cette rumeur a courru dès les années 1942-1944. La conscience de ce qu'il advenait des convois quittant Drancy-Le Bourget chaque semaine en 1942 était entrée dans la culture populaire en investissant l'image banale de la fumée crachée par la cheminée de la première tour.

Le 3 septembre 1941, soit treize jours après l'ouverture de Drancy *Judenlager*, le premier gazage au cyanure d'hydrogène dans des installations fixes eut lieu à Auschwitz. La production de Zyklon-B sous licence allemande par l'entreprise française Ugine à Villers-Saint-Sépulcre (Oise) passa d'une tonne par an en septembre 1940 à 37 tonnes pour le seul mois de mai 1944. La totalité de la production était expédiée en Allemagne pour « usage militaire » [10].

« Chaufferie », « chaudière », « chambre de chauffe », « chambre de combustion »... « chambre à gaz ». Sous l'apparition du néologisme dans l'espace représentationnel de Drancy, dans la terminologie d'ingénierie désignant une technologie inhabituelle, se glisse une prémonition. Par une coïncidence inouïe, le *Petit Atlas* de 1934-1937 évoque le dispositif à Birkenau en janvier 1942 : des écuries qui, adjacentes à deux maisons paysannes aménagées pour le gazage, servaient au déshabillage de la « sélection ».

Un panneau indique l'endroit comme étant un « Haut lieu du souvenir de la Déportation ». La vieille gare de Bobigny est située en contrebas de l'ancienne route des Petits-Ponts, à quinze minutes de Paris. C'est là que les gendarmes chargeaient les trains : du 18 juillet 1943 au 17 août 1944, 22 400 déportés. Les bâtiments lugubres, vaguement orientalistes, se dégradent peu à peu parmi des collines de déchets métalliques.

Le silence de ce dépôt ferroviaire, interrompu par les craquements des carcasses métalliques et le grondement des lourds trains de marchandises, est imprégné d'une odeur que j'ai humée pour la première fois dans un abattoir, l'odeur de fer oxydé du sang frais. Depuis sa tour, le regard embrasse la tour Eiffel à l'Ouest et les remparts de béton des grands ensembles ceinturant Paris à l'Est ; vue directe sur la « fracture sociale ». Il suffit de balayer l'horizon du regard pour voir grimper le taux de chômage de 400 pour cent.

Les bâtiments avaient été édifiés en 1929 par Morosini lors de la construction de la ligne secondaire Bobigny-Sucy-Bonneuil, dernier tronçon de la voie ferrée connue sous le nom de Grande Ceinture, dont les travaux avaient commencé en 1875 dans les banlieues parisiennes. Comprenant un hangar à marchandises et plusieurs voies de triage commandées par un aiguillage, la gare de Bobigny entra en service en mars 1932, mais la ligne attira si peu d'usagers qu'elle fut fermée en 1939 [11].

Le terminal ferroviaire faisait partie intégrante du camp central de Drancy et traduisait un choix stratégique de la part du troisième directeur du camp, le Haupsturm-führer SS Aloïs Brunner, lors de sa prise de fonction en juin-juillet 1943.

Mieux adapté que le « Quai aux moutons » de la gare du Bourget à l'accélération des déportations, aussi bien par sa configuration et son équipement que par son alignement direct avec le camp par la voie départementale rectiligne qu'est l'avenue Henri Barbusse (D115), le site de 5,4 hectares se trouvait de plus relativement dissimulé aux regards par son emplacement dans une cuvette, la Couture, en bordure du quartier du Pont-de-Pierre de la zone industrielle des Vignes à Bobigny. Son isolement contrastait avec l'activité de la gare urbaine du Bourget, qui voyait défiler un flux constant de passagers locaux. Le télégramme expédié par Brunner à Berlin le 7 juillet 1943, cinq jours après son arrivée à Drancy, confirmait le départ du convoi prévu le 18 juillet de la gare de Bobigny. Contrairement à ce que prétend la légende, aucun incident de guerre ne rendait obligatoire ce changement. D'après des témoins et des sources policières, le dépôt du Bourget ne fut pas touché par le bombardement du secteur le 14 juillet 1943, pas plus que par celui du 14 avril. Contrairement aux autres grands centres ferroviaires de la région parisienne, le dépôt du Bourget ne fut jamais attaqué [12].

De 1948 à 2006, le terrain en forme de croissant de la gare de Bobigny fut loué par la SNCF à la SCI Lautard, récupérateurs de métaux. La gare elle-même fut réhabilitée en 1979 par la SNCF Direction Paris-Nord, reprit brièvement du service comme gare de fret, puis servit de logement pour les familles des cheminots de la Brigade de secteur chargée de l'entretien, avant d'être définitivement fermée au début des années 1980.

Représentant l'une des structures les plus importantes parmi la vingtaine de gares de la Ceinture, le bâtiment en pierre brute, renforcé de béton, se distingue par sa hauteur en volume et sa tourelle décentrée abritant l'escalier qui dessert ses trois niveaux. Le rez-de-chaussée comporte un hall, une salle d'attente, des bureaux administratifs et techniques, tandis que les deux étages sont aménagés en appartements. Le toit de tuiles rouges et la façade en stuc comportent des inscriptions et des ornements en brique émaillée. Souvent squatté durant les décennies où il est resté fermé, le bâtiment fut muré – en vain – après l'incendie qui, en 1990, détruisit le premier étage et une partie de l'escalier. La tempête de l'hiver 1999 a endommagé sa toiture, exposant l'intérieur à la pluie. La « Cour des voyageurs » s'est peu à peu ensablée, la marquise en verre abritant le quai a disparu, la façade et les équipements se sont dégradés, la clôture originale en béton, les toilettes extérieures et l'édicule de service tombent en ruines. Cent mètres à l'ouest de la gare, la vaste halle aux marchandises au toit cylindrique, point névralgique des embarquements, sert aujourd'hui d'entrepôt pour des matières toxiques. Sur ses voies de service, les enfants des familles de cheminots logeant dans les habitations voisines cherchaient, aux premières heures des matinées suivant les déportations, les messages griffonnés sur des bouts de papier et jetés depuis les wagons [13]. Le rez-de-chaussée de la gare a été ravagé par un incendie en 2006.

Après le départ du récupérateur de métaux en 2006, on envisage d'améliorer la rentabilité de l'enveloppe du site qui constitue déjà un important carrefour départemental. Des projets prévoient l'implantation d'un collège destiné aux enfants des cités avoisinantes. Le département de Seine-Saint-Denis décide d'agrandir le carrefour entre la RD 115 et la RD 27 après élargissement et dédoublement de la RD 115. Dans le cadre d'un important programme d'investissement dans les infrastructures de transport en Île-de-France, la SNCF envisage la construction près du site de deux nouvelles gares, Bobigny-Drancy et Bobigny-La Folie. La voie ferrée doit être en outre redimensionnée afin de permettre le passage des TGV.

A la Muette, les écoliers se bousculent dans la cour après les classes, les tulipes resplendissent dans leurs jardinières. Le wagon souvenir transformé en galerie photo à l'entrée de la Cité n'est ouvert que « sur rendez-vous, au bureau du maire ». L'« authentique » wagon, sur lequel figure l'inscription « 8 chevaux, 40 hommes » et des étoiles de David, repose incongrûment sur une croix formée par l'intersection de deux rails. Don de la SNCF destiné à compléter la stèle commémorative, l'installation-écran complète la censure de la mémoire par la mémoire. A partir de la sculpture de granit sur son socle de pierre, sur ce qui aurait dû être la voie d'accès centrale à la Cité, le visiteur se trouve engagé dans une courte allée qui vient buter contre le flanc du wagon, le tout cerné d'une haie épaisse à la manière d'un jardin labyrinthe du XVIIIe siècle. Impossible, d'ici, d'accéder à la Cité ; l'installation est une impasse, un montage produisant une impression trompeuse : « *Oui*, m'a confirmé un adolescent. *Il y avait un camp, quelque chose comme ça ; mais il n'était pas ici, dans la Cité ; il était quelque part là-bas, vers ce wagon, là.* » Pour d'autres, il n'était nulle part du tout. Aucune signalisation n'en indique la direction dans toute la ville.

Le mirador des gendarmes contrôlant l'entrée a été amnistié par le wagon qu'on a mis à la place, mais les isolateurs électriques en verre qui retenaient les câbles alimentant ses projecteurs sont restés fixés à une potence rouillée au-dessus de la loge du concierge, dans laquelle était installé l'ancien poste de garde. On déchiffre la Muette à travers ses dérapages et ses lapsus.

A la Muette en 1999, j'ai fait du porte-à-porte avec une connaissance originaire de Drancy. La « tchatche » nous a ouvert des appartements. « *Bonjour, est-ce que nous pourrions prendre une photo de votre salon ? Inutile de mettre de l'ordre, ça ne prendra qu'une minute.* » Les appartements regorgeaient des signes des eaux qui couraient en dessous. Vagues déferlant sur les paillassons ; poisson-lune suspendu dans un hall ; coraux noyés sous les flocons de neige d'une boule de cristal ; figurines de chats pêcheurs tenant des cannes, surveillant leur hameçon du haut d'une bibliothèque ; voiliers en plastique louvoyant sur les étagères ; ancres fixées aux murs des salons ; serviettes de bain ornées de sextants ; voiles rouges claquant dans des cadres dorés. A Drancy, on appelait les avantages qui protégeaient de la déportation, comme le fait d'être « conjoint d'aryenne », des « bateaux ».

Sur la plaque commémorative de la gare de Bobigny, après l'injonction « N'oublions jamais », le « c » manque à la date : « otobre ». A la trappe le « C » qui désignait les non déportables.

A la Cité de la Muette, le monument de Shlomo Selinger aux victimes masque l'accès au camp, à côté d'une pelouse ornée d'un cube de brique dédié à de Gaulle et à la Résistance française. Les trois blocs de granit rose de Selinger, qui forment la lettre hébraïque « SHIN », traditionnellement utilisée en substitution du nom de Dieu notamment sur les tefillin et les mezuzah fixés au chambranle des portes, rappellent que 100 000 Juifs sont passés par « les portes de la mort de Drancy ». Entre 75 500 et 76 000 furent déportés de France, dont 67 693 de Drancy.

A côté de la voie piétonne menant à la Cité, une plaque de granit noir poli commémore la découverte, par les ouvriers creusant les fondations du gymnase municipal Joliot-Curie en 1980, d'un tunnel d'évasion oublié. Le texte gravé relatant l'exploit de 1943 omet d'indiquer l'objectif déclaré de l'entreprise : la libération de la totalité des 2 000 détenus du camp.

1. Conversation téléphonique avec Mme Berthe Burko-Falcman, Paris, 15 mai 2001.
2. Fonctionnaire loyal envers la Révolution nationale du maréchal Pétain à partir de 1940, Maurice Papon fut nommé secrétaire général de la préfecture de Gironde à Bordeaux en 1942, où il dirigea le Service des questions juives. Maintenu dans ses fonctions sous de Gaulle, il fut nommé préfet de Corse en 1947, puis préfet de Constantine en 1949, avant d'être préfet de Paris de 1958 à 1967. Après avoir participé au retour au pouvoir de De Gaulle durant la crise algérienne de 1958, le préfet Papon dirigea la répression de la manifestation pacifique pour l'indépendance algérienne du 17 octobre 1961, puis, trois mois plus tard il couvrait le massacre du métro Charonne. Papon fut condamné pour complicité de crime contre l'humanité en 1998 pour ses actes commis sous le régime de Vichy. Cf. Guicheteau, Gérard, *Papon Maurice ou la continuité de l'État*, Mille et une nuits, Paris, 1998.
3. *Petit Atlas des bâtiments militaires, Garde républicaine mobile, Cité de la Muette à Drancy*, s.d.
4. *Ordonnance du 9 novembre 1944 portant rétablissement de la légalité républicaine*, et note, « Destruction des documents fondés sur des distinctions d'ordre racial », Préfet de police, Cab. 21324, 30 novembre 1949, in Rémond, René, *Le « Fichier juif »*, Plon, Paris, 1996, p. 187 sv.
5. Inizan, Christelle, *93-Drancy – Cité de la Muette, Rapport justificatif, Dossier de recensement*, commission régionale des monuments historiques d'Île-de-France, septembre 2000.
6. Rajsfus, Maurice, *op. cit.*, p. 14. (Voir p. 31 du présent ouvrage.)
7. *Procès organisé par Pierre Masse, Paul Léon et d'autres avocats pour juger les délits commis par des détenus de Drancy et de Compiègne*, CDJC-*DXXXIV-79* ; Rajsfus, *op. cit.*, p. 202.
8. Henley, Jon, « Revealed: Paris Police War Files » (Révélations sur les listes établies par la police parisienne pendant la guerre), *The Guardian*, 18 juin 2005.
9. Rajsfus, *op. cit.*, p. 409.
10. Lacroix-Riz, Annie, *Industriels et banquiers sous l'Occupation, la collaboration économique avec le Reich et Vichy*, Armand Colin/HER, 1999, Paris, p. 162-166, annexes.
11. Euscheler, S., *Ancienne gare de Bobigny/Mémorial de la déportation*, École d'Architecture de Paris-La Villette, 2000, p. 18-21.
12. Liegibel, Raymond, *Une commune dans l'histoire de la France : regards sur Drancy*, Drancy, Société drancéenne d'histoire et d'archéologie, 1986, p. 289 ; catalogue de l'exposition « Les Yeux de la mémoire », Association Fonds Mémoire d'Auschwitz (AFMA), s. d., p. 18-21.
13. Germenot, Ginette, « Témoignages, *Les Yeux de la mémoire* », *Bonjour Bobigny*, 27 avril-5 mai 2000, p. 2 : « *C'était là* [l'ancienne gare de marchandises] *! Les malheureux étaient rassemblés sur cette esplanade avant d'être poussés sans ménagement dans les wagons stationnés sur cette voie.* [...] *Après chaque départ, il y avait là de nombreux messages. Avec ma sœur, nous les ramassions et les expédions après avoir recopié les adresses sur des enveloppes.* »

Chez un célibataire, représentant de commerce.

Club de Modélisme Drancéen – l'ancienne infirmerie du camp.

Cour centrale.

PAGE CI-CONTRE : Chez un immigré algérien septuagénaire.

Magasin de maquettes, rue Arthur Fontaine.

Cave de la bimbeloterie, l'ancienne serrurerie du camp, rue Auguste Blanqui.

Chez une agente administrative d'université.

Chez un instructeur de plongée sous-marine.

« *C'est là que les femmes juives se trouvent bien* », 1942.

Atelier de confection de robes de mariée, 1999. Ancien Bureau des Effectifs où des employés du camp effectuaient le classement des internés et la sélection en vue des déportations.

Chez un couple, elle serveuse, lui employé municipal.

Chez un immigré malien âgé de soixante-quinze ans.

« *Lehaïm* », « À la vie ! »

Dégât des eaux sur le mur d'un appartement.

L'entrée du tunnel de l'évasion avortée de 1943.

Sous cette allée à 1m30 de profondeur
passait le tunnel de l'évasion
du camp de DRANCY
70 internés répartis en 3 équipes oeuvrèrent
de jour et de nuit pour sa réalisation.
Commencé en septembre 1943
long de 36 mètres, il fut découvert par les nazis
en novembre 1943 et ne fut jamais achevé.
Il manquait 3 mètres pour atteindre
la liberté !

Avenue Henri Barbusse.

PAGE CI-CONTRE : Chez un RMIste.

BRICANYL

Cour centrale.

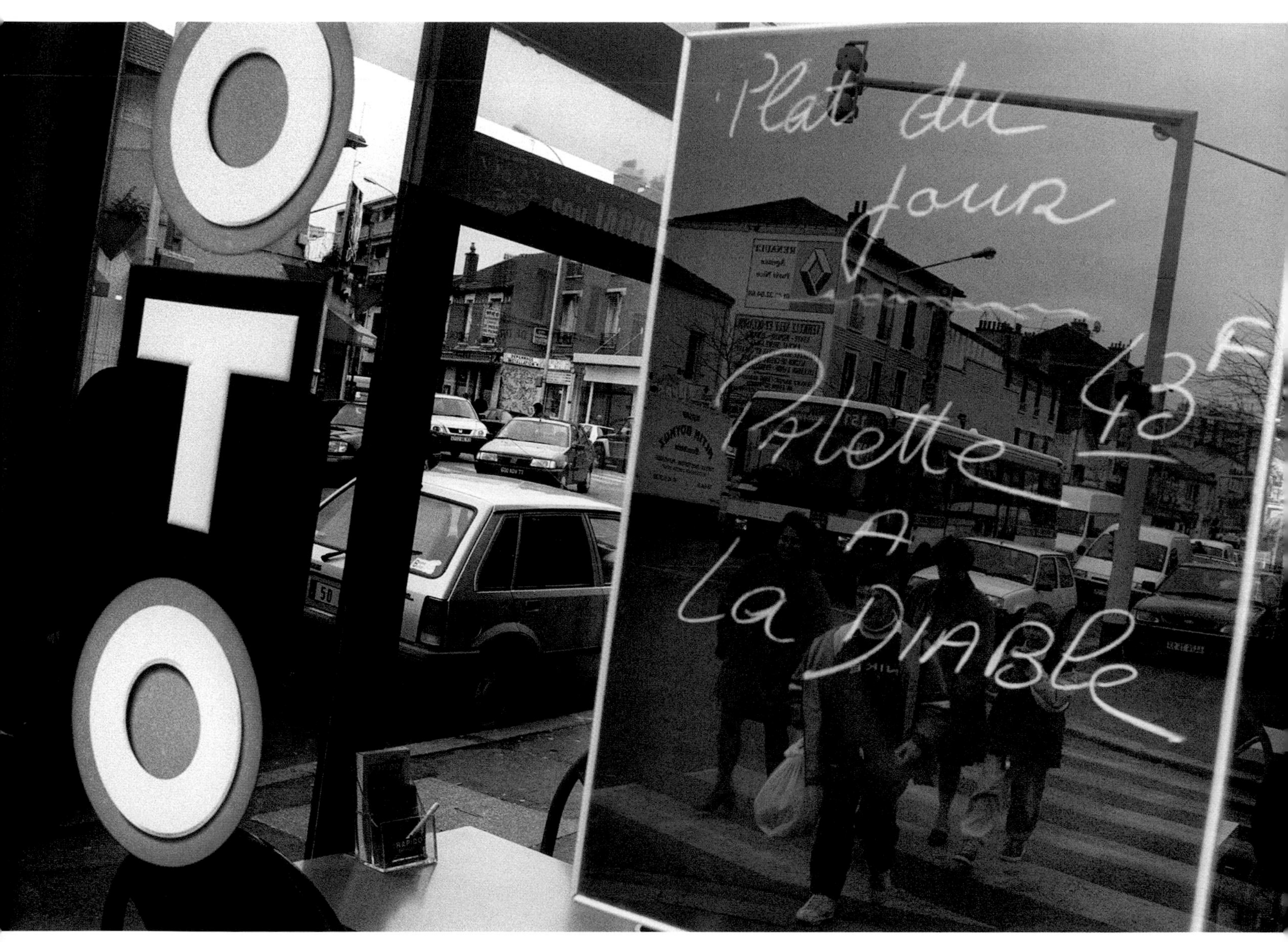

Café-brasserie, avenue Henri Barbusse.

Rue Arthur Fontaine.

L’entrée du Bunker, galerie technique.

LES INSCRIPTIONS DES CACHOTS

La cave située sous le commerce de Locquet était autrefois deux cachots. Après la guerre, une ouverture a été percée dans le mur de séparation d'avec la cave voisine. La pièce mesure 1,80 m sur 8 m.

Dans la pénombre, des signes, des visages, des chiffres suintent des murs. Des caractères hébraïques et des étoiles de David apparaissent derrière les rayonnages encombrés de pots de peinture, de désinfectant, de boîtes de bonbons, de masques d'Halloween. Les infimes traces – à peine grattées, ou inscrites à la craie, au crayon, au bleu de charpentier – semblent être saisies au mieux lorsqu'elles sont éclairées d'une lumière la plus basse possible et la plus rouge alors que sous celle du projecteur qui imite la lumière du jour, elles semblent se rétracter sur la pellicule.

Un pilier fait face à la porte condamnée de la cellule. Six mots d'hébreu, laborieusement tracés au graphite, s'accrochent à sa surface rugueuse, disposés verticalement sous trois étoiles de David :

CHEMA
ISRAEL
YHVH
ELOAYNOU
YHVH (YHYH ?)
ERAD

« ÉCOUTE / ISRAËL / HACHEM / (EST) NOTRE DIEU / HACHEM EST (SERA?) / UN [1] ». En hébreu, le mot « pilier » possède la même racine que « émouna », la foi, et la présentation verticale choisie pour ce qui apparaît de prime abord comme le début de la prière de Chema-Israël rappelle la mezuzah, le rouleau de parchemin fixé au cadre de la porte d'une maison et portant l'injonction du Deutéronome : « *Et ces mots, que je t'ordonne de prononcer aujourd'hui, resteront dans ton cœur* [...]. *Tu les inscriras à l'entrée de ta maison, et sur tes portes.* » Cependant, quelque chose ne va pas. La scansion est la même que dans la Chema, même nombre de mots, mêmes initiales, et pourtant cette profession de foi paraît assombrie. Une seconde lecture fait naître une conviction aussi amère que la première était douce. Le premier verbe, « écoute » ou « *chema* » *(shin-mem-ayin)*, est altéré, ses deuxième et troisième lettres apparemment remplacées par *teth-heth*, ce qui le transforme en *chatakh*, participe passé du verbe *choteakh*, « étendre, répandre, verser, éparpiller ». L'auteur évoque Job 12 23 : « *Machgu'a lagoim vaiavdem choteakh lagoim vainkhem* », « *Il agrandit des nations, puis les perd, il fait s'étendre des peuples, puis les déporte* » ; « *Il piège les nations et les capture* » ; « *Il fait croître les nations et les emmène en captivité.* »

Le troisième mot du pilier se termine par *vav-heth*, le cinquième plus par *heth* que par *he*... Une prépondérance du *heth*, une lettre fermée, orientée vers le bas, qui signifie littéralement « faute » ou « péché », là où on ne l'attend pas. Devons-nous comprendre la présence de Satan (le *shin-teth* du premier mot) ? La peste nazie ; ou une trahison, une dénonciation qui ne peut être dite ? La rectitude des noms est bafouée. L'ordre brisé des lettres évoque la destruction d'un monde.

« Lo Dèz O » – L'espace d'un instant, le cliché radiographique des os de l'affiche publicitaire que j'ai vue dehors me revient à l'esprit. Le rabbin du pilier exprimait une horreur plus grande que le régulateur naturel de croissance et de décroissance. Le message de Job selon lequel Satan ne peut agir sans autorisation divine révèle un texte plus profond et plus déchirant encore. Le verbe *shin-teth-heth* du pilier apparaît, conjugué à la troisième personne du futur, *ouchtakoum*, dans la prophétie de Jérémie, dont le rouleau, écrit sous la dictée divine et annonçant la destruction de Jérusalem, épouvanta tant la Cour qu'après qu'on en eut donné lecture il fut découpé en morceaux et brûlé. Depuis le pilier, la voix du prophète se fait entendre par-delà vingt-six siècles : « *On tirera de leurs tombes les ossements des rois de Juda, les ossements de ses princes, les ossements des prêtres, les ossements des prophètes et les ossements des habitants de Jérusalem. On les étalera devant le soleil, la lune et toute l'armée du ciel, qu'ils ont aimés et qu'ils ont servis, et qu'ils ont suivis. Ils ne seront ni recueillis ni enterrés ; ils resteront sur le sol en guise de fumier.* » (Jérémie, 8 1-2)

Juste en dessous, l'étonnant dessin d'un profil gauche, tracé du même crayon, se déploie par des traits en volutes à partir de l'empreinte laissée sur le ciment par un nœud dans le bois de coffrage : un vieil homme de 60 à 70 ans, chauve ou quasiment chauve, les joues et les paupières tombantes, une pipe serrée entre les lèvres. Dessiné par la même main ? Le portrait ressemble au poète Max Jacob, baptisé catholique en 1915, à l'âge de 40 ans, avec pour témoin Picasso. Jacob fut arrêté par la Gestapo d'Orléans le 24 février 1944 dans l'abbaye bénédictine de Saint-Benoît-sur-Loire où il s'était retiré. Il arriva à Drancy dans un état fiévreux, ayant contracté une pneumonie après être resté allongé durant trois jours dans un wagon de marchandises sur la voie de garage de Bobigny. Il mourut à l'infirmerie du camp le 5 mars.

« *De même que vous m'avez abandonné pour servir en votre pays des dieux étrangers, de même vous servirez des étrangers en un pays qui n'est pas le vôtre.* » (Jérémie, 5 19)

Et, depuis le pilier, la voix poursuivait sans répit : « *Je ferai de mes paroles un feu dans ta bouche, et de ce peuple du bois que ce feu dévorera. Moi, j'amènerai sur vous de loin une nation, Ô maison d'Israël, a dit le Seigneur : C'est une nation puissante, c'est une nation ancienne, une nation dont tu ne sais pas la langue.* [...] *Son carquois est un sépulcre béant ; c'est une nation de héros.* » (Jérémie, 5 14-16)

A côté de la sombre prière, à gauche d'une étoile de David aux traits repassés et noircis, et sous son prénom, « HÉLÈNE » a inscrit au crayon la date de son arrivée à Drancy : « I XII 43 ». Hélène Roth, née Ruduitzki à Varsovie de parents russes, sténographe de 23 ans, avait été arrêtée une semaine plus tôt, le 24 novembre 1943, à Nice. Elle était parmi les 64 prisonniers de Nice qui sont entrés à Drancy en cette première journée de décembre et fut enregistrée sous le matricule 8906. Sa fiche d'enregistrement, sur laquelle a été tracé grossièrement le « B » qui voulait dire « déportable », indique que sa carte d'identité nationale a été invalidée le jour même de son arrestation ; elle était déjà officiellement morte lorsqu'elle est entrée dans cette cellule. Hélène a quitté Drancy le 7 décembre à bord du convoi 64. Comptait-elle parmi les 72 femmes qui échappèrent à la *Selektion* trois jours plus tard à Auschwitz ? L'espérance de vie des prisonniers qui survivaient à cette première épreuve était de trois mois. Elle n'est jamais revenue.

Nous examinons méthodiquement tous les interstices. Je découvre le reçu d'un huissier parisien, une carte imprimée de 9,5 x 17,5 cm, pliée deux fois dans le sens de la longueur et roulée serré, profondément insérée dans une fissure : « REÇU DE M. Cohen, dix mille francs – provision [...] affaire Laltiêl/Ouls », daté du 10 août 1943, avec deux timbres fiscaux oblitérés. Garder sur soi un tel document après la fouille était un délit grave. Un ticket de ration alimentaire et un filtre de cigarette en carton ont été enfoncés dans des joints voisins.

Dans cette cellule du Bunker située sous l'entrée 12/11 de nombreuses personnes ont laissé leur nom sur les murs, des larmes dans le sol. Remuer la poussière, respirer leur sel. Le réalisateur américain Willy Holt, arrêté en possession d'une sacoche d'argent destinée à une cellule de résistants lyonnais en 1944, fut envoyé à Drancy après que la Milice eut constaté, en lui infligeant le supplice de la baignoire, qu'il était circoncis. Après cinq jours d'isolement dans ce cachot, il fut envoyé à Auschwitz. Il survécut. Il me montra la lettre à sa femme qu'il avait rédigée au crayon, dans le noir, sur les deux faces d'une fine feuille de papier qu'il avait pu se procurer, écriture au toucher, « de mémoire », lignes aussi denses et régulières que les caractères de cette page.

Nous découvrons de nombreuses inscriptions sur les poutres, où elles sont restées protégées des regards par l'obscurité et leur position verticale. Levasseur écrivit son nom au plafond avec l'indication « tentative d'évasion », et la date, le 5 août 1943. Son patronyme français indique-t-il qu'il était résistant, ou que son père était « aryen » ? Il n'apparaît pas dans le fichier du camp. Le 10 août, l'évasion de deux internés d'un groupe de travail au Bourget déclencha une chasse à l'homme de la part des cadres du camp qui en étaient responsables [2]. La cascade de rapports et notes de service générés par la hiérarchie des MS (prisonniers organisés en service d'ordre) à la suite de cet incident pourrait être le signe d'une anxiété accentuée par la tentative d'évasion solitaire

17842
+43
CC
44B
29.4.44
Nom : CARNIOL
Prénoms : Louis
Date Naissance : 12.2.09
Lieu : Husi
Nationalité : roumaine
Profession : chir.-dentiste
Domicile : Annonay
19 Pl. des Cordeliers
M.OE.CA
C. I. val. jusqu' Lyon 31.3.44

Dep avec sa femme
née FINKELSTÈNE
Anna

Cert remis le 31.7.43
à sa belle-mère
Mme FINKELSTÈNE

plus certificat remis
le 25/9/44.

2835
Dep 29.4.44
CARNIOL D
Louis
12.2.09
Roumanie
Ardèche
19 place des Cordeliers Annonay
Drancy
11.3.44

déporté le 29/4/44
Certificat remis le 25/9/44

effectuée cinq jours auparavant par Levasseur, laquelle, malgré mes recherches dans les archives, ne semble pas avoir eu d'écho particulier.

La hiérarchie du camp était hantée par les évasions, qui devinrent plus fréquentes à partir de 1942 avec le début des déportations. Brunner avait transformé les MS en une véritable police, tenant ses membres pour personnellement responsables. Le « tarif » était de cinquante cadres déportés pour toute évasion due à la négligence. Les évasions devinrent par conséquent une véritable obsession pour ceux qui, à cause d'elles, risquaient de perdre leur statut de non déportable. Qu'une se produise et « *chacun – ou presque – souhaite que le fugitif soit repris, sans compter ceux qui font tout ce qu'il faut pour cela* [3]... » Le 3 mars 1942, trois semaines avant le premier convoi (qui emmènera 1 112 personnes le 27 mars) et afin de préparer l'afflux de prisonniers déportables en provenance de Compiègne, la gendarmerie interdit l'accès aux sous-sols et galeries du camp. Y être surpris équivalait à une tentative d'évasion, punissable de trente jours de Bunker. Le Bureau administratif des prisonniers informa les détenus qu'on leur tirerait dessus [4].

Louis Carniol a laissé son nom et celui de son lieu de résidence, Annonay, dans le département de l'Ardèche, sur un linteau en béton. Dentiste de profession, Carniol était né à Husi, en Roumanie, le 12 février 1909, et venait tout juste d'avoir 35 ans lorsqu'il fut arrêté à Lyon le 31 mars 1944 avec sa femme Anna, née à Paris le 4 novembre 1905. Sa fiche porte la mention : « Se dit NJ » (non juif). Déshabillés et enfermés dans cette cellule sans lumière, ils furent interrogés et, vu leur résistance, brutalisés, battus et mutilés. La carte d'inscription d'Anna indique comme nom de jeune fille « Finistère ». Lors de sa déportation le 29 avril, le nom a été corrigé en : « née Finkelstène ». Leur

CC D
Nom : CARNIOL
née Finistère
Prénoms : Anna
Date Naissance : 4-11-05
Lieu : Paris 11e
Nationalité :
Profession : S.P.
Domicile : Annonay
19 place des Cordeliers
C. I. val. jusqu' Lyon 31-3-44

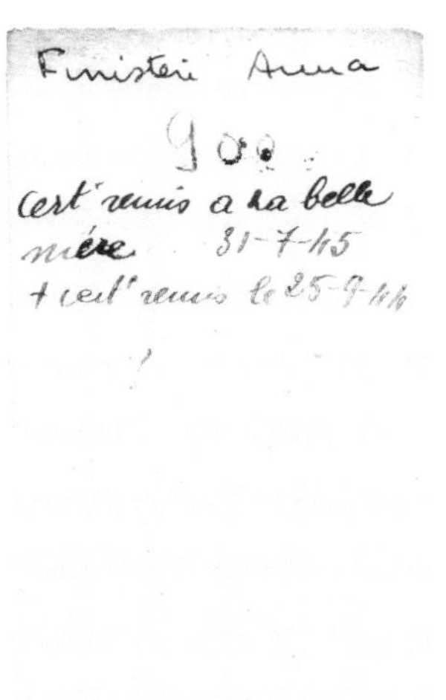
Finistère Anna
900
c'est remis à la belle mère 31-7-45
+ c'est remis le 25-9-46

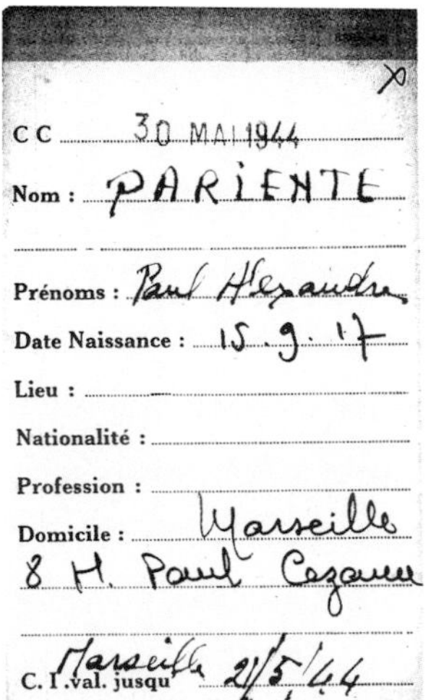
CC 30 MAI 1944
Nom : PARIENTE
Prénoms : Paul Alexandre
Date Naissance : 15.9.17
Lieu :
Nationalité :
Profession :
Domicile : Marseille
8 H. Paul Cezanne
C. I. val. jusqu' Marseille 21/5/44

8906 B 4175-43 3-1
CC +05
Nom : ROTH née Rudnitzki
Prénoms : Hélène
Date Naissance : 1.2.20
Lieu : Varsovie
Nationalité : r. russe
Profession : sténo-dact.
Domicile : St. Martin Vésubie
Hôtel Stéphanie
C. I. val. jusqu' Nice 24-11-43

convoi, le 72, emmena 398 hommes, 606 femmes et 174 enfants et adolescents de la gare de Bobigny à Auschwitz. Quarante-huit hommes et cinquante-deux femmes échappèrent à la sélection mais, à en juger par leurs numéros de matricule, ni Louis ni Anna Carniol.

Paul Alexandre Pariente, né le 15 septembre 1917, avait 27 ans lorsqu'il fut arrêté à Nice le 2 mai 1944. A Drancy, il fut enregistré comme « employé », se vit remettre un reçu pour les 80 francs qu'on lui confisqua lors de la fouille et attribuer le matricule 8966. Sur la brique d'un des murs du cachot, il a inscrit sous son nom : « *Départ le 20 mai 1944, à moins que…* » Avait-il eu vent du projet imminent de débarquement allié ? Ou bien son espoir reposait-il plutôt sur l'arrivée du certificat qui le sauverait ? Quelque chose évita à Pariente d'être embarqué à bord du convoi 74 qu'il redoutait. Mais cela ne suffit pas. Il partit le 30 mai dans le suivant avec 1 107 autres personnes. Trois jours plus tard, seules 484 d'entre elles étaient encore en vie.

« Bernardini » marqua par deux fois sa présence dans la cellule. Une fois sur un pilier en béton, une autre sur une brique du mur. Profitant de la lisse surface rouge, il ajouta « corse » et « entré le 22 mai 1944 ». Victor Benbassa, *alias* Bernardini, avait été arrêté deux jours plus tôt à Grenoble. De nationalité turque, né à Istanbul, qui s'appelait alors Constantinople, le 22 juillet 1907, il avait donné comme lieu de naissance Péagie, en Corse ; sur sa fiche, l'indication avait été rayée. Il figurait parmi les 294 Juifs arrivés à Drancy ce jour-là via Toulouse et, à en juger par son âge, 36 ans, était vraisemblablement l'un des trois Turcs venus du camp de Vernet avec un groupe de 33 hommes. Sa fiche d'entrée est couverte de corrections, le nom biffé deux fois, le lieu de naissance une fois, le domicile rayé quatre fois : un interrogatoire prolongé. Sa nationalité le protégea toutefois de la déportation et il fut libéré de Drancy le 18 août.

Albert Bolinkoff, « matricule 759 », a laissé la date la plus ancienne de la cellule : 8 janvier 1942, soit douze jours avant la conférence de Wannsee. Au cours de la semaine pendant laquelle Bolinkoff fut enfermé ici, Vichy décréta l'enregistrement et l'internement des Juifs nés à l'étranger, y compris ceux ayant acquis la nationalité française, qui vinrent s'ajouter aux milliers de réfugiés apatrides d'origine polonaise, autrichienne et allemande déjà détenus.

La date la plus récente, tracée par un collaborateur, est celle du 26 juillet 1945. Parmi les 22 inscriptions datées – la cellule compte au total 52 inscriptions distinctes –, presque la moitié, 10, furent apposées durant une période de quinze semaines entre fin novembre 1943 et mars 1944, et la majorité de celles-ci (6) au cours des mois de janvier et février 1944. Les interrogatoires allaient rondement.

Brunner prit le commandement de Drancy le 10 juin 1943 (bien que la date officielle soit le 2 juillet), soit quatre mois après Stalingrad et quatre semaines avant le débarquement allié en Sicile. Sa mission consistait à augmenter le nombre jugé trop faible des arrestations. Durant la première semaine de septembre, les forces italiennes se retirèrent du sud-est de la France, où elles avaient gêné l'action anti-juive de la police française, allant même jusqu'à « libérer » les Juifs détenus dans une gendarmerie [5], et la Wehrmacht se déploya dans la région. Brunner réduisit le corps des employés du camp le 9 juillet et mit en place ses propres collaborateurs sélectionnés, ce qui lui permit de s'absenter de Drancy pour monter des opérations en dehors de la région parisienne. Il se rendit à Nice pour préparer l'opération le 20 août, et en revint neuf jours plus tard. Il signa à Drancy le télex adressé à Berlin pour confirmer le départ du convoi 59 le 2 septembre. Son équipe de SS fut envoyée à Marseille le 4, et il les rejoignit le 8, ou au plus tard le 10, à l'hôtel Excelsior de Nice, désigné comme « Camp de recensement des juifs arrêtés, dépendant du camp de Drancy », pour une opération d'arrestations de trois mois menée dans la zone Sud sur la côte d'Azur, à Nice et à Grenoble.

Brunner rentra définitivement de Nice avec son équipe de deux médecins-détenus et d'une quinzaine d'autres employés du camp le 14 décembre 1943. Avec moins de 2 500 arrestations dans la zone Sud, au lieu des 25 000 prévues, les rafles s'étaient soldées par un échec cinglant.

1. Guillaume, Catherine, avec J. C. Giabicani, Tony Levy, correspondance, novembre 2007.
2. Rajsfus, *op. cit.*, p. 315. (Voir p. 31 du présent ouvrage.)
3. Bernard, Théo, « Drancy Judenlager», *La Revue internationale*, n° 5, mai 1946, cité in Rajsfus, *op. cit.*, p. 315.
4. CDJC-CCCLXXVII-16 : « *Note de service* [du] *3 mars 1942 : Dorénavant, il est absolument interdit aux internés du Camp de Drancy de pénétrer dans les sous-sols des bâtiments du Camp, ainsi que dans les galeries adjacentes. A l'avenir, tout interné qui sera surpris dans les sous-sols et les galeries sus-visés, soit durant le jour, soit pendant la nuit, sera considéré comme coupable d'une tentative d'évasion et sera puni d'une peine de 30 jours de prison.* [signé] *Le Commandant du Camp* [H. Laurent]. » Cette note comporte également une notice, datée du 4 mars, du Bureau administratif : « *Il est rappelé que les Gendarmes ont ordre de tirer en cas de tentative d'évasion et que tout interné circulant dans les sous-sols s'exposent* [sic] *également à ce risque.* »
5. Les *carabinieri* libérèrent 90 Juifs à Castellane (Basses-Alpes) le 3 septembe 1943, *cf.* Klarsfeld, Serge, *Le Calendrier des persécutions des juifs en France* 1940-1944, Paris, 1993, p. 882.

Galerie technique, inscription ciselée.

SADH
PRISON

PAGE CI-CONTRE : Galerie technique ; Petit Passage ; Galerie technique.

Mine de plomb sur pilier, cave G2, Bunker (plan p. 223).

La Porte

La petite porte n'a l'air de rien
Elle s'ouvre, elle se referme
Comme toutes les portes...
Quand il vente on peut croire que le vent
l'emporte. Je pourrais l'ouvrir
D'un revers de main.
Elle s'ouvre, elle se ferme.
Sans clous
Ni verrous
Bien remarquables
Ni redoutables
Elle vous attire avec son air inoffensif.
Et l'on dirait
Qu'elle vous fait signe de venir.
Mais, si d'un élan impulsif
On voulait
En arriver près, jusqu'à toucher le loquet,
La petite porte qui n'a l'air de rien
Reculerait
Dans un monde inaccessible
Elle a des gardiens invisibles
Partout.
Et l'on serait
Si l'on approchait
Une cible, criblée de coups.

Poème écrit par Madeleine Sabine à Drancy (date inconnue),
publié dans *Écrivains en prison,* éditions Seghers, 1945.

GALERIES
& CAVES

PAGE CI-CONTRE : Le Bunker, depuis l'escalier 11/12.

Galerie technique.

Mine de plomb sur pilier, G2.

PAGE CI-CONTRE : Tunnel technique.

Galerie technique.

« *KOHN SAMUEL* », 42 ans, né à Paris le 12 juillet 1901 dans le 9e arrondissement, de nationalité française « de souche », « *Ordner* » ou employé du camp, classé C1, non déportable. Cadre de banque arrêté à Lyon, déporté le 20 novembre 1943 dans le convoi 62, Kohn (matricule 19550) était vraisemblablement l'un des 40 à 65 C1 choisis au hasard en représailles de la tentative d'évasion par le tunnel. Sa présence dans cette cellule atteste de la détention des « otages » dans les cachots du Bunker à la veille de leur départ. Son matricule indique qu'il était parmi les 914 déportés gazés dès leur arrivée à Auschwitz. Mine de plomb sur pilier, cave de la boucherie hallal, le cachot « B » (plan p. 223).

« *CHEMA (CHATAKH?)*
ISRAEL
YHVH
ELOAYNOU
YHVH (YHYH?)
ERAD »
« Écoute
Israël (Israël/éparpillé?)
Hachem
(est) notre dieu
Hachem
est (sera?) un »
Mine de plomb sur pilier, G2.

« HELENE / 1 XII 43 ». Mine de plomb sur pilier, G2. Hélène Roth, née Ruduitzky à Varsovie le 1er février 1920, sténographe de 23 ans. Arrêtée le 24 novembre 1943 à Nice, arrivée à Drancy sept jours après, elle subit un premier interrogatoire puis aurait été incarcérée. Six jours plus tard, elle monte dans le convoi 64.

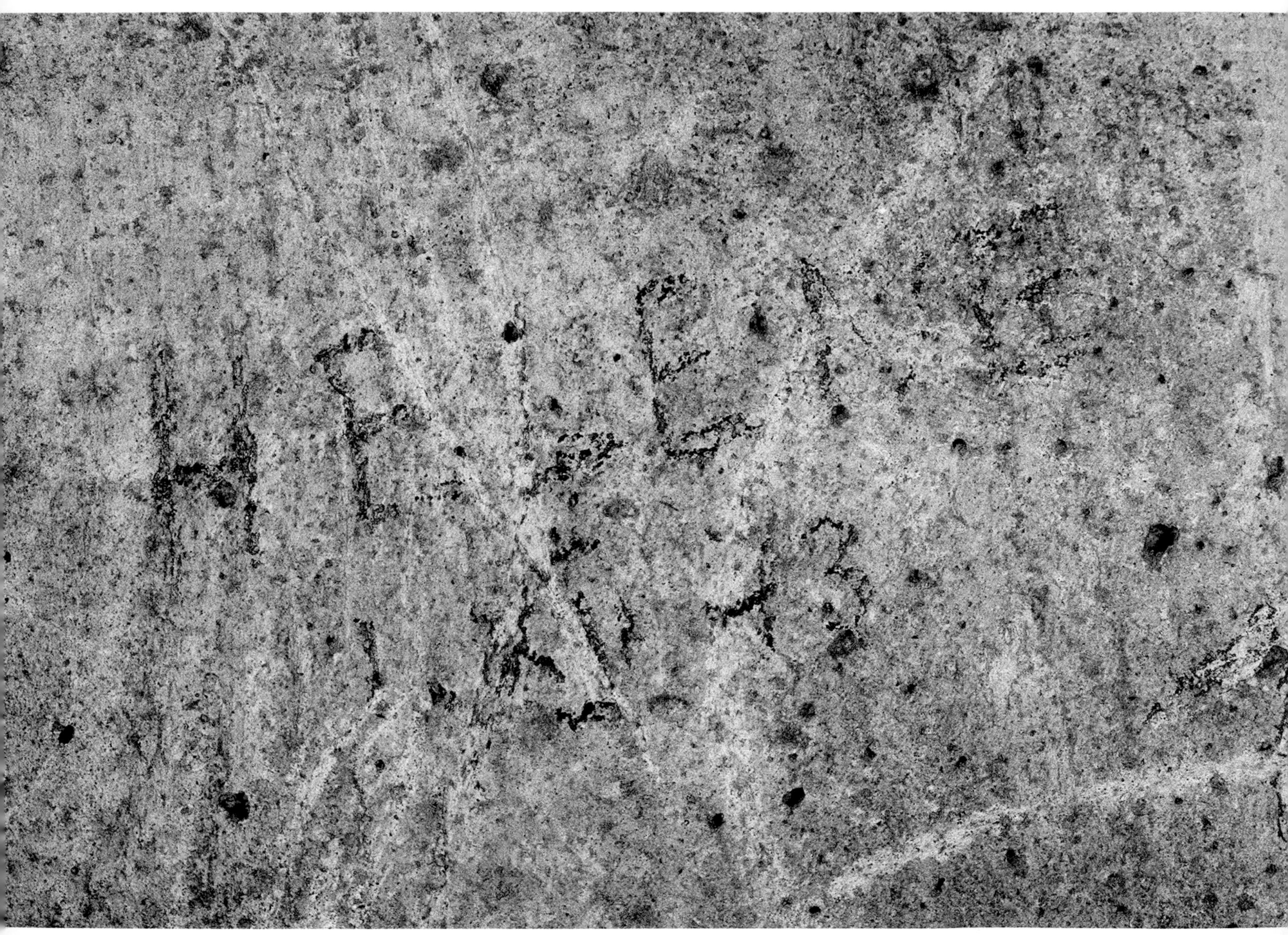

PAGE CI-CONTRE : « *WAFFEN SS / SS* ». Craie, B (plan p. 223). Dans ce cachot, les inscriptions de detenus juifs côtoient celles laissées par des prisonniers internés après la libération du camp. Branche militaire de la Schutzstaffel, la Waffen-SS était présente sur tous les fronts, incorporant des unités étrangères. Ici la trace présumée d'un prisonnier de guerre est complétée par une seconde inscription sur le même pilier (voir p. 110).

« *SKL(R?) henri / internement / 8/41 – 2/44* ». Mine de plomb sur pilier, B. A la suite de la rafle de six jours lancée le 20 août 1941, 4 230 hommes de 18 à 50 ans furent arrêtés et internés à Drancy. Le nom « Skrobitz » (matricule 1937) figure sur une liste de « *Lagerstamm – Personal* » (sic), c'est-à-dire du personnel du camp, datée du 22 février 1944, parmi les noms des cinq membres du *Verbindungsstelle*, ou Bureau de liaison, mais le prénom est caché par une tache d'encre.

La trace de « SKL(R) » dans cette cellule trente mois après son arrestation laisse penser que sa déportation était imminente et qu'elle se déroula dans des circonstances exceptionnelles étant donné l'ancienneté de ce prisonnier dans le camp.

Le 21.8.44
Odile Camille
Innocent
STOCK NO
INVENTORY NO

PAGE CI-CONTRE : « Le 21.8.44 / Odile Camille / Innocent ». Mine de plomb sur poutre, G1 (plan p. 223). L'évacuation du camp par la Croix Rouge s'est faite entre le 18 et le 20 août 1944. Le lendemain, les premières personnes accusées de collaboration furent placées en détention dans les cachots.

« L/L ». Inscription grattée dans la brique, G2.

PAGE CI-CONTRE : « *Jacques dit / chocolat / Fortau / 15 jours* ». Craie de menuisier sur poutre, G2.

Portrait dit du poète Max Jacob avec sa pipe. Mine de plomb, G2.

PAGE CI-CONTRE : « *MORT / ΛUX / -FΓI. MP./ -FPP(?)* ». Craie sur poutre, B. A la lumière d'une inscription complémentaire (voir p. 102), un Waffen-SS se plaint de son arrestation par la Police militaire des forces françaises de l'intérieur.

« *POLLET PAUL / 10-12-44* ». Mine de plomb sur poutre, B.

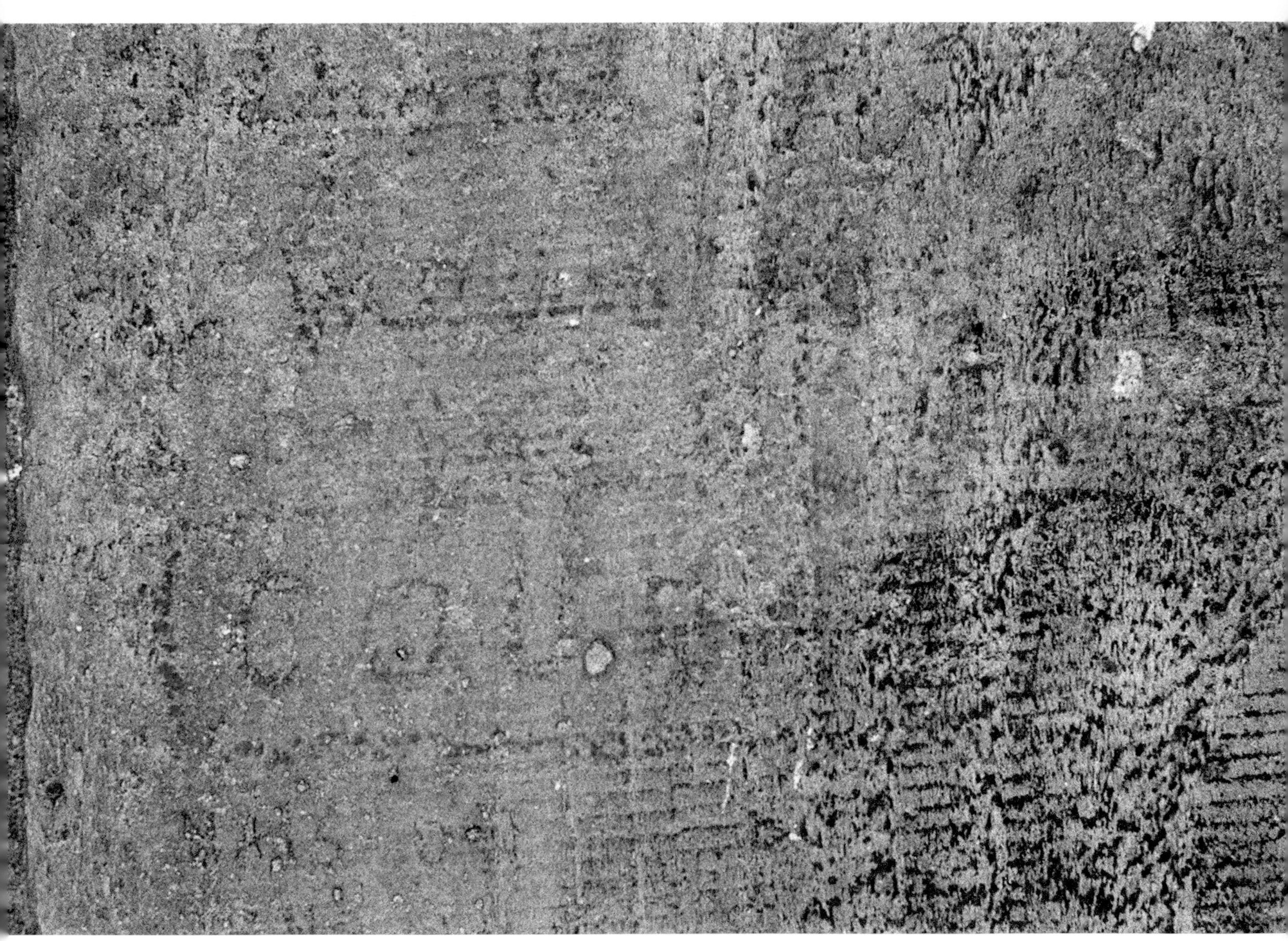

« *Départ(?)/revoir(?)/COURAGE* ». Mine de plomb et craie bleue de menuisier sur pilier, B.

« *1943* ». Suie de bougie sur plafond de cachot, Bunker, entrée 12/11.

Boîte de jonction électrique, galerie technique.

Passage condamné menant au complexe de l'ancienne gendarmerie, galerie technique.

Bimbeloterie rue Auguste Blanqui.

PAGE CI-CONTRE : « *VIVE / FRANCE* », craie ; faucille et marteau du Parti communiste français, peinture bleue sur pilier, B.

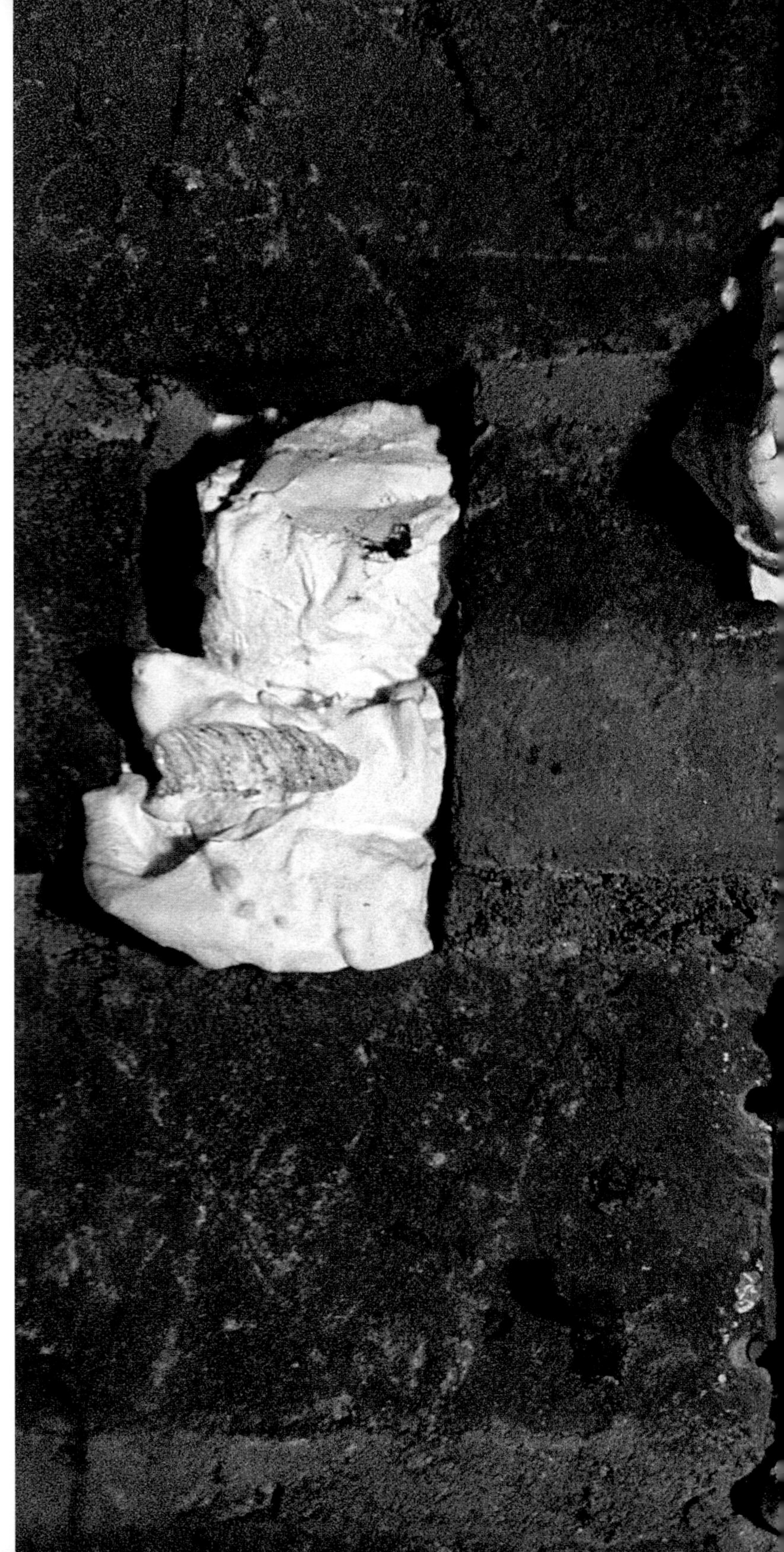

Du journal imbibé de plâtre bouche des trous d'aération, mur de cachot, Bunker.

LE BUNKER

J'insère la longue clé cruciforme jusqu'à mi-cylindre, la fais tourner d'un quart de tour vers la droite pour franchir la garde de serrure, l'enfonce plus avant et la tourne deux fois sur la gauche pour basculer la double rangée de goupilles. Nous admirons la perversité de cette clé jaune ouvrant sur les enfers, l'impudence du logo inscrit sur sa bossette : « DENY » (en anglais : « nier »). J'allume la lumière et, après avoir manœuvré le verrou pour nous enfermer à l'intérieur, nous descendons l'étroit escalier menant aux caves.

Nous longeons un passage bordé de portes en bois lattées dont certaines sont dégondées. Nous nous retrouvons dans la cave directement en dessous de l'ancien bureau du commandant du camp. Nous approchons d'un regard en béton, un bloc de 60 cm de haut, d'un mètre de côté, fermé par une trappe en acier galvanisé. Le faisceau de la torche se reflète dans l'eau noire, affolant un nuage de moucherons et de moustiques qui nous enveloppe comme une vapeur urticante. Une échelle métallique s'enfonce dans la cavité inondée à peine plus large que les épaules d'un homme. Des voiles luisants de moisissure blanche, festonnés de filaments brillants de toiles d'araignée, s'accrochent aux flancs humides du conduit. Nous servant de la torche pour écarter ces lambeaux charnels, nous descendons à tour de rôle jusqu'à la surface de l'eau où, en se penchant, l'on distingue six ou sept mètres du tunnel inondé avant qu'un virage ne le dérobe à la vue.

Le premier sous-sol de la Cité de la Muette n'est pas d'un seul tenant. Il est compartimenté en sections correspondant aux cages d'escalier, et il l'était déjà en 1943. La partie principale du Bunker, des rangées de cellules servant aujourd'hui de caves, se trouve sous le Bloc III, entre les escaliers 11/12 et 12/11, respectivement aux angles nord-est et nord-ouest du Fer à cheval. Depuis le site du tunnel, à l'extrémité opposée du bâtiment, le chemin le plus direct pour accéder au Bunker est de descendre dans la galerie technique. Nous utilisons une nouvelle fois la clé cruciforme pour ouvrir une porte métallique proche des escaliers. Le grondement d'une chute d'eau nous assourdit et une langue glaciale de gaz fétide vient nous lécher le visage tandis que nos pieds tâtonnent pour trouver les barreaux par lesquels nous nous enfonçons dans l'abîme.

Au pied de l'échelle, serrés l'un contre l'autre, nous braquons le faisceau de la torche dans un passage rappelant les entrailles métalliques d'un navire, une spirale angulaire s'enfonçant dans l'obscurité. Chaque fois qu'une tuyauterie est sollicitée au-dessus de nous, nous recevons une pluie de gouttelettes. La torche isole une inscription peinte en grosses capitales d'imprimerie noires à demi estompées : CHÂTEAU ROUGE. Les latrines du camp. Un mois après les premières arrestations en 1941, les gendarmes ordonnèrent aux prisonniers de creuser deux tranchées à l'extrémité sud du camp, à côté de l'entrée, juste au-dessus de nos têtes. Ils ne leur donnaient rien à manger, juste de l'eau chaude et des miettes de pain. La diarrhée sévissait. Ils administrèrent le petit édifice en briques, n'autorisant qu'une visite par personne toutes les 36 heures. Les immondices s'accumulèrent dans les escaliers et les passages. La punition pour défécation non autorisée était de cinq à dix jours de prison.

Reliant 37 bâtiments dispersés sur le site, la galerie technique souterraine constituait l'une des prouesses d'ingénierie de la Cité de la Muette. Elle abrite les réseaux de distribution d'eau, de chauffage et d'électricité et sert à évacuer les eaux usées et les ordures ménagères. La galerie n'en constituait pas moins un système unifié de circulation pour les personnes à destination du « grand ensemble ».

S'étendant sur deux niveaux, les caves du Fer à cheval représentent 1 000 mètres de tunnels, passages et galeries enfouis sous les trois côtés du U. Elles courent sur une longueur de 195,9 mètres sur deux côtés, reliées par un troisième côté de 72,05 mètres.

Le premier niveau, dans lequel sera installé le Bunker de Drancy, comporte plus de 350 caves transformées en cellules individuelles disposées de part et d'autre de corridors sur une surface totale de 2 500 m² (voir plan page 223). La durée du placement en isolement pouvait varier d'une nuit à plus d'une trentaine de jours. En fonction des cas, les châtiments spécifiaient que le détenu était condamné à une peine qui devait être effectuée en partie dans la « prison », la cellule collective du rez-de-chaussée, et en partie en « cellule », c'est-à-dire à l'isolement dans un des cachots du Bunker. Il est impossible de connaître le nombre de prisonniers qui ont été enfermés dans le Bunker, mais il devait se situer entre quelques-uns et plusieurs centaines à un même moment donné. Le Bunker fut utilisé en permanence après l'hiver 1941-1942 et jusqu'en 1946.

Plus longue et enterrée plus profondément, la galerie technique d'une largeur de deux mètres et mesurant 500 mètres de long communique avec le premier sous-sol en huit points. Sa profondeur suit l'inclinaison des canalisations du tout-à-l'égout, allant de 2,80 m sous le bloc central à 3,70 m aux extrémités des ailes est et ouest.

La circulation du personnel dans le réseau souterrain était facilitée par une signalisation en français qui indiquait les entrées 1 à 22 (l'ordre en fut inversé après la guerre), les magasins, bureaux et services disponibles en surface. En effet, à l'automne 1942, « une contrefaçon de la vie normale » fut organisée à Drancy, avec un service social, une pharmacie, des magasins et des services de réparation des châlits et d'entretien de l'électricité, une douche, un coiffeur et des cuisines. Chaque indication est tracée à la peinture noire, en caractères d'imprimerie, par-dessus les mêmes indications préalablement écrites en cursives et à la craie : PRISON, PRISON ANNEXE, POSTE [DE POLICE], COLIS, MED[ECIN] CHEF, INFIRMERIE, DENTISTES, COIF[FEUR], ÉCONOMAT, CUIS[INES] 1-4, PLUCHE, LÉGUMES, ÉTUVES, ATELIER DU MATÉRIEL, MAGASIN DU MATÉRIEL, CHARBON, BOULANGERIE, MATÉRIEL BLOC III, CORD[ONNIER], ALIMENTATION CHAUDIÈRE IFMERIE, CHAUDIÈRE DOUCHES, LAVABOS INFM., CHÂTEAU ROUGE. Ces indications répertorient les services sur lesquels s'appuyait la structure de gestion du camp, laquelle comprenait le bureau administratif, le vaguemestre, le bureau de la Préfecture qui employait des internés, le bureau militaire, la banque de dépôt des détenus, le service social, le bureau des employés de jour (« effectifs ») et celui des employés de nuit (« effectifs de nuit »).

Ces inscriptions furent apposées dès les premières phases de fonctionnement du camp en août 1941, alors que la gendarmerie en assurait la direction avant que le SS Heinz Röthke n'en prenne le commandement à partir du 17 juillet 1942. Elles échappèrent à l'effacement lors de la réorganisation du camp par le SS Aloïs Brunner en juillet 1943, lorsqu'il ordonna que toutes les indications dans le camp soient repeintes exclusivement en allemand.

L'euphémisme généralement utilisé pour désigner Drancy, « camp de transit », trouve son origine dans le terme allemand *Abwanderunglager*, qui désignait les camps d'internement provisoires mis en place à partir de 1933 au cours de la principale phase de construction des plus importants centres concentrationnaires en Allemagne, laquelle se prolongea jusqu'en 1938. Mais ce terme occulte la nature bipolaire du camp français. A partir de 1942, Drancy devint un centre de regroupement destiné au transfert vers Auschwitz d'une certaine population, et à l'internement d'une autre qui y menait une existence de sursis. A la différence des camps SS, dans lesquels les criminels de droit commun étaient chargés de l'encadrement des autres détenus, à Drancy des Juifs français étaient chargés du contrôle des Juifs étrangers.

Sous la collaboration exigée par les nazis en échange d'une exemption provisoire de déportation, cette minorité française a constamment élargi son administration du camp, gérant la « police », la prison et toutes les autres fonctions du camp, jusqu'au tribunal spécial devant lequel étaient traduits les détenus. Certains exploitèrent le marché noir du camp en connivence avec les gendarmes ; d'autres procédaient aux sélections pour les convois [1].

En plus du « gérant du bureau administratif » – le détenu assurant la fonction de commandant du camp –, furent désignés dès le départ quatre-vingts chefs de chambrée, vingt chefs d'escalier et cinq chefs de bloc. La bureaucratie des cadres et des employés du camp atteignit rapidement trois fois ce chiffre, ce qui représentait l'équivalent de 20 à 25 pour cent de la population moyenne du camp [2].

Dès 1941, la Gestapo catégorisa les internés selon leur rapport juridique à la déportation : déportables, temporairement non déportables, otages, ceux dont le statut faisait l'objet d'une enquête [3]. Ces catégories ne cessèrent d'être modifiées et leur nombre de croître au gré des décisions politiques et ce jusque sous Brunner en 1943, quand le nombre des seules sous-catégories de Français provisoirement non déportables fut porté pour un temps à cinq [4]. Même si elle n'était pas définitivement garantie, la relative immunité de ces Français était renforcée par leur rôle fonctionnel dans les sélections, ainsi que par les actions de pacification, de répression et de maintien de l'ordre qui leur étaient imparties.

Le Service des effectifs, rouage essentiel créé avant la première semaine du mois de novembre 1941, tenait à jour le fichier des internés et se chargeait de la préparation matérielle des convois de déportation. Ses responsabilités s'étendirent progressivement à la sélection, à la ventilation et à la classification statistique périodique des internés alimentant une base de renseignements constamment remise à jour dont se servait la Gestapo.

En septembre 1942, la population du camp ne cessa d'augmenter et de diminuer au rythme des trois convois hebdomadaires. Les autorités d'occupation imposèrent la mise en place du Service de surveillance intérieure afin d'isoler les partants des arrivants et de faire respecter le règlement. Placé sous les ordres de la préfecture de police et dirigé par le Bureau IV-J de la Gestapo, ce service de détenus fut opérationnel dès le 31 octobre 1942. La frontière entre son rôle et celui des inspecteurs de police et des gendarmes demeure floue, et une « saine » rivalité régnait entre les trois services pour l'organisation fort lucrative des fouilles. Péjorativement qualifiés par des détenus de « gestapolak » ou de « milice sémitique [*sic*] », les MS, ou Membres du Service d'ordre, ne cessèrent de voir leur nombre et leur pouvoir augmenter et finirent par adopter l'appellation officielle de « Police du camp ».

Les MS avaient le pouvoir d'emprisonner des détenus et ils participèrent à la garde des cachots à partir de juin 1943. La nuit, ils veillaient à faire respecter la ségrégation sexuelle du camp.

Comprenant essentiellement des Français (19 sur 21 au départ) et dirigés par quatre officiers de réserve [5], les MS s'organisèrent en unité militaire en liaison avec les SS. En septembre 1943, les effectifs des MS furent portés à 46 hommes, dont 21 étaient logés dans le Bloc III [6].

A la veille de la prise en main de la gestion du camp par les SS en 1943, les services du camp comprenaient près de trente bureaux ou missions permanentes distincts, dont les 199 postes étaient occupés par 163 Français de souche, 25 naturalisés français, un Français « protégé » (originaire des protectorats marocain ou tunisien), un « sujet » français (algérien) et neuf « étrangers non déportables » [7].

Chaque surface présente un problème particulier de décryptage, le ciment pour la surface extérieure, la brique pour l'intérieure, chacune comportant des appareils différents, des ombres et des reliefs spécifiques.

Nous approchons de l'angle nord-ouest de la structure. Les inscriptions murales indiquent : « POLICE POSTE », « PRISON », puis « PRISON ANNEXE ». Nous percevons un fort courant d'air, imprégné d'un irréel parfum d'arbres en fleurs. Il provient d'une lucarne grillagée débouchant près du plafond, à 3,5 mètres du sol. En 1944, une femme y était suspendue par des menottes. Les enfants qui jouaient dans l'aire de jeux sur laquelle donnait la lucarne regardèrent, jour après jour, ses mains blanchir et se décharner. Elle avait refusé de dire à Brunner où se trouvaient ses enfants [8].

Le Bunker occupait le sous-sol du Bloc III au Nord et un autre groupe de cellules de l'aile ouest, le Bloc II. L'ensemble s'étendait de l'entrée 11/12 à l'entrée 13/10. Le Bunker était divisé en deux blocs de 30 cellules, mesurant de 1,5 m² (0,80 x 1,80 m) à 5,9 m² (3,30 x 1,80 m). Il communiquait avec la galerie technique sous le Bloc III par les escaliers de ses deux entrées.

On accédait à ce qu'on appelait le « Donjon » à l'angle nord-est du bâtiment, par les escaliers de l'entrée 10/13, juste à côté de la « Chancellerie allemande », le bureau de Brunner contigu à la morgue et à l'entrée nord-est du camp, appelée le « Petit Passage ». Le Donjon comportait deux cellules pour une surface totale d'environ 18 m². Les traces d'une porte de sécurité subsistent dans la cage d'escalier de l'entrée 13/10, des gonds en acier scellés dans le mur, identiques à ceux des grilles à barreaux d'acier fermant le Petit Passage. La cave qui occupe l'angle des deux ailes du bâtiment était désignée sous le terme de « salle de torture » par les habitants de la Cité dans les années 1950. Cette cave et les pièces situées au-dessus furent rénovées en 1948 pour accueillir la boucherie de la Cité. Son propriétaire était un certain « H. Papon ».

Un cinquième bloc de cellules fut créé après novembre 1943 dans le premier sous-sol de la cage d'escalier 22/1. Un survivant d'Auschwitz m'a raconté qu'en 1944 il y avait vu cinq ou six hommes « ensanglantés, derrière un grillage », suspendus par les bras ou les poignets [9].

Je tire à moi une des portes lattées. Nous contemplons une paire de crochets en fer, visiblement mis en forme à la main, entourés d'une corde abrasive, fixés à une barre d'acier, elle-même fichée dans les murs, près du plafond. Le diamètre des crochets pouvait enserrer un large poignet d'homme. Il n'existe pas de méthode plus simple pour rompre la clavicule par le seul effet de la gravité. Le « facteur » de Drancy, Georges Bodenheimer, fut déporté le 7 mars 1944 (convoi 69) avec les deux bras cassés, pieds et poings enchaînés à un brancard après avoir subi une semaine d'interrogatoires dans ces cellules [10].

J'empoigne la barre à deux mains et y suspends mes 84 kg. Je plie les jambes, les relève et les abaisse plusieurs fois, me balance d'avant en arrière. Elle ne bronche pas.

« En bas » à Drancy, au printemps 1943, « *les coups pleuvent ; les cachots se remplissent. Les internés y sont nus. Souvent, l'ordre est donné de leur verser, le matin, un seau d'eau froide sur les épaules avec l'interdiction formelle de les essuyer. Quand on connaît l'atmosphère glaciale des cachots, on peut certifier que ce sont là de véritables assassinats* [11] ». « En haut », le commandant du camp s'emploie à faire régner l'ordre.

NOTE DE SERVICE

- : - : - : - : - : -

Par ordre de Mr le Commandant du Camp,

il est rappelé que les cours ne sont pas des plages balnéaires et que Drancy est un camp d'Internement.

Dans l'intérêt des Internés, sont interdits : les cuisses et torses nus, les corps étendus à terre, les couvertures placées sur le sol, le repos sur des pliants ou transatlantiques et en général toute attitude dans les cours ou aux fenêtres donnant l'apparence de laisser-aller ou d'un style de vie que les Autorités ne peuvent admettre dans un camp d'internement.

Seuls seront tolérés, sous réserve qu'ils soient en petit nombre, les tabourets pour s'asseoir.
Si ces ordres n'étaient pas intégralement respectés, des mesures beaucoup plus sévères seraient imposées.

Drancy, le 5 Avril 1943 [12]

J'ai lu que grâce à l'UGIF (Union Générale des Israélites de France), qui approvisionnait le camp et les convois, Drancy recevait parfois les articles les plus incongrus, comme une fois des centaines de cravates. Lorsque apparurent des groupes de détenus portant des lunettes de soleil, Brunner écrasa la rebellion, giflant tous ceux qu'il surprenait osant porter l'insigne accessoire.

La faiblesse de la résistance collective dans le camp rend d'autant plus étonnante la tentative d'évasion de « masse » qui s'organisa entre les mois de septembre et de novembre 1943. Jusqu'à 70 hommes – autant ou plus que dans les brigades de terrassement – participèrent au creusement d'un tunnel. Presque toutes les évasions avaient été des actions individuelles. En moyenne il y en eut une tous les douze à quinze jours et en tout il y en eut entre soixante-dix et cent. La majorité des évadés parvenait à se soustraire à une brigade de travail ou à se dissimuler dans une benne ou un camion quittant le camp. Il pouvait aussi s'agir de cadres qui ne rentraient pas de permission. Mais là, entre le 10 septembre et le 10 novembre 1943 [13], soixante-dix hommes creusent un tunnel vers la liberté, y parvenant presque avant que leur projet ne soit découvert. Vingt ans plus tard, un des survivants affirme que leur véritable objectif était la « dispersion » de tous les détenus du camp, soit près de deux mille hommes, femmes, enfants, vieillards, malades.

1. Rajsfus, *op. cit.*, p. 180 (voir p. 31 du présent ouvrage) : « *Dès l'ouverture du camp de Drancy, l'inévitable devait se produire. Certains des internés cherchaient à se différencier de la masse, estimant injuste leur présence dans un lieu d'enfermement qui n'aurait dû être réservé qu'aux immigrés. Ces bons Français de France tenaient à faire reconnaître leur origine et c'est surtout dans ce groupe que les autorités françaises – police et gendarmerie – allaient choisir les "cadres" internés.* »
2. *Ibidem*. On ne sait rien des critères administratifs qui présidèrent à la nomination du premier chef du camp, ni des suivants. « *A partir de tous ces chefaillons se dessinera rapidement l'embryon d'une pyramide bureaucratique bien banale au début, mais porteuse de toutes les dérives.* »
3. *Idem*, p. 202.
4. *Id.*, p. 193, 244.
5. *Id.*, p. 197, 198.
6. Organigramme du 3 septembre 1943, CDJC-*CCCLXXVII*.
7. Rajsfus, *op. cit.*, p. 193.
8. Correspondance, Christophe, Francine et S., Denise, 2004. Ch. Dermot reçut en 2004 le témoignage anonyme d'un survivant sur l'emprisonnement et la torture de sa mère, Marie Gryka, à partir du 6 février 1944 jusqu'à sa déportation le 7 mars : « *Sa mère n'ayant pas pu ou pas voulu donner l'adresse de ses enfants quand elle a été arrêtée, grâce à son héroïsme, elle a été battue, giflée par le chef du camp de Drancy ; elle a ensuite été mise dans la prison du camp (tout le mois), une cave gardée par un homme qui n'a pas été déporté à ce moment-là, j'allais la voir tous les jours, parce qu'il la faisait monter un peu.* [...] *Elle a été anéantie dans cette prison.* »
9. Entretien avec Léon Lehrer, 2001.
10. Bureau des Effectifs, Mutations de C1, Drancy, 23 février 1944, CDJC-*CCCLXXVII-10* (*22a*) ; Tazartes, David, *Le Rire et le chagrin*, éditions J'étais une fois, Paris, s.d., p. 61-66 ; Leclerc, Marguerite, déposition devant notaire, 26 octobre 1997, CDJC ; Thorpe, Janet, *Nous n'irons pas à Pitchipoï, le tunnel du camp de Drancy*, de Fallois, Paris, 2004, p. 189 et 192 ; Bader, Jean, *Témoignage sur le camp de Drancy*, juin 1940 – août 1944, CDJC-*DLVI-III*, p. 2 ; Charlot, C., Service Archives et Musée, Préfecture de Police, Paris, correspondance du 13 avril 2005 : les infiltrations d'armes auxquelles se livra Georges Bodenheimer, courtier parisien qui comptait parmi les premières recrues de l'équipe de creusement du tunnel d'évasion, sous couvert de son poste de directeur du Magasin 12 (matériel d'entretien), constituent un exemple singulier de résistance à Drancy. Son arrestation par les SS la veille du 23 février 1944 eut lieu deux mois après l'interception par la hiérarchie interne du camp de deux caisses de mitraillettes qui lui étaient destinées mais qui furent livrées par erreur au magasin de la serrurerie et aussitôt signalées. En plus de la transmission du courrier, Bodenheimer fournissait aussi clandestinement aux partants du petit outillage d'évasion, et aux nouveaux arrivés des informations susceptibles de leur éviter d'être classés pour la déportation. Une réforme draconienne des procédures de fouille et de l'encadrement de la police et de la prison eut lieu au lendemain de son arrestation : CDJC-*DLXII-213* (N/S 213, 24 février 1944), CDJC-*CCLXXVII-2* (N/S 214, 9 mars 1944). Notons que ces dates sont comprises dans la période où les prisonniers incarcérés dans le Bunker laissèrent le plus grand nombre d'inscriptions. Pour autant, les armes étaient rares à Drancy. Jean Bader inventorie deux pistolets mitrailleurs et cinq revolvers, dont deux dérobés à des gendarmes et les autres introduits en pièces détachées. Ces armes, qui ne furent pas utilisées à la Libération, constituaient le seul arsenal du camp. D'autre part, aucun témoin oculaire n'a confirmé l'hypothétique infiltration d'une « valise de fusils » en juin 1944 par un chauffeur de la Préfecture travaillant pour la Résistance.
11. Darville, Jacques et Wichené, Simon, *Drancy la juive ou la deuxième Inquisition*, A. Breger Frères, Paris, 1945, p. 63.
12. Durin, Jacques, *Drancy 1941-1944*, GM Imprimerie, Le Bourget, 1988, p. 35.
13. Les souvenirs des survivants diffèrent, mais c'était le 11 novembre au plus tard car Brunner se trouvait à Nice, à la Villa Murex dont le mobilier et les tableaux l'intéressaient, tôt dans la matinée du 12 : Peschanski, Denis, *La France des camps, l'internement 1938-1946*, Gallimard, Paris, 2002, p. 196.

PAGE CI-CONTRE : (A?)C S R R I (R?). Craie. Le mot est tronqué par des cloisons de briques posées en 1948-1950. Les caves de l'entrée 22/1, en dessous du bureau du commandant juif, étaient affectées aux cachots en 1944.

Calendrier de cinq jours. Craie, cachot, 22/1.

« PC/AC/MC ». Craie, galerie technique.

26 jours de cachot, du samedi 15 janvier (« 15 s ») au mercredi 9 février 1944 (« 9 m »). Mine de plomb, G2.

« *Paul Pariente / départ le 20-5-44 / à moins que … / 8 mai Paris* ». La recherche d'un certificat de baptême ou de « non-appartenance à la race juive » aurait empêché Pariente (matricule 8966) de partir avec le convoi 74, mais dix jours plus tard, le 30 mai, il était à bord du convoi 75. Mine de plomb, B.

Mine de plomb, G2.

DE GAUCHE À DROITE

« AZEM ».

« PANTIN / 5-12-1944 ».

« LOULOU/PIERROT/DEDE/8 Xbre/1944 ».

« CARNIOL/1944/29 AVR ».

« Eug(___)ippe /D(J ?)esuis Niaché(?) paris(?)/(___) ».

« 44 – 25/8 ».

« 11.7.42 ».

« PARIS / CHIMENTI /ANGELO ».

« Cheislaine/et Cygnibar(?) David / 25-3-44 12-4-44 ».

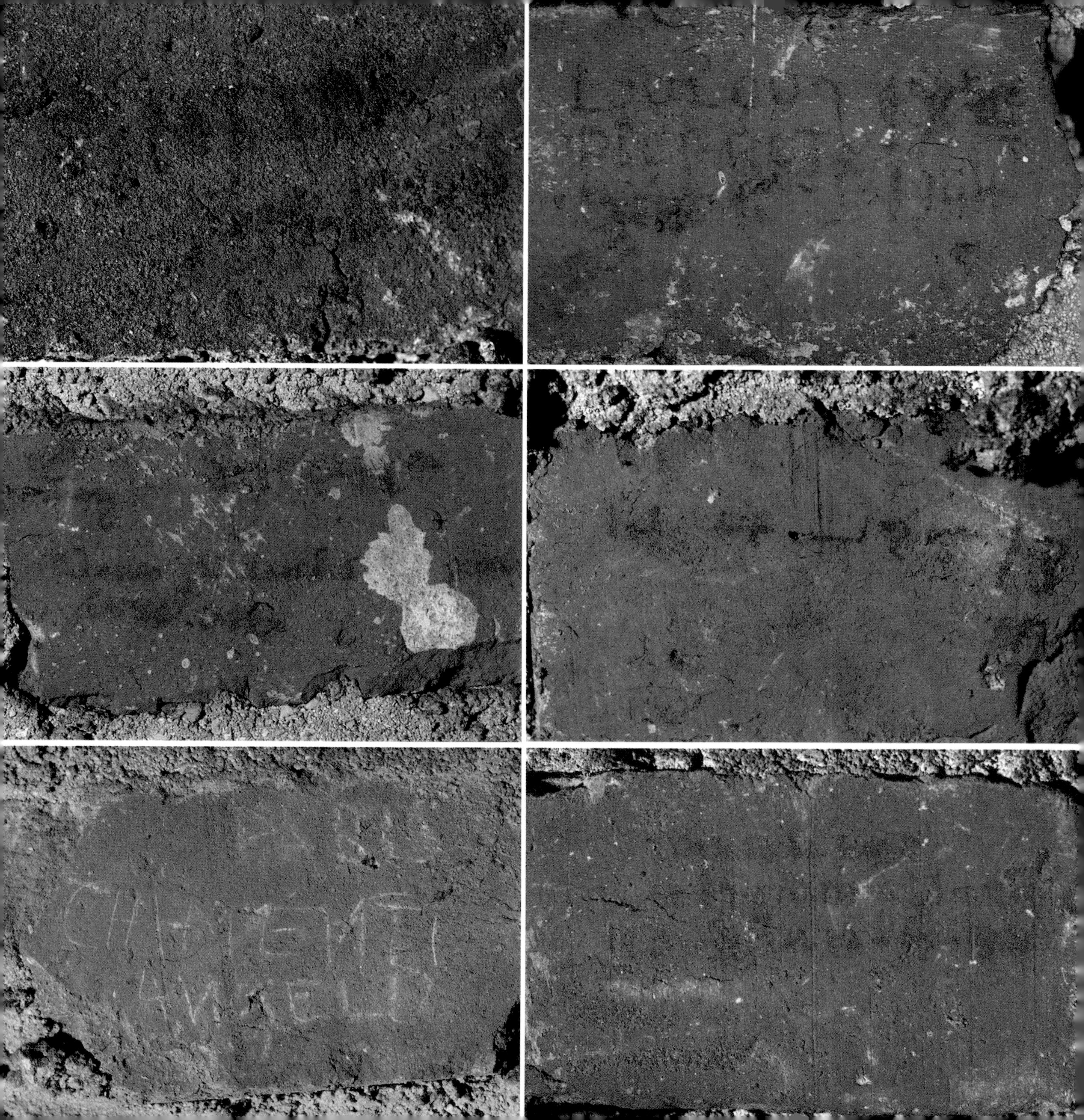

« BERNARDINI/CORSE/ENTRE 22/5/44. » Mine de plomb, G2.

« Eugène Rondeau a couché ici. » Mine de plomb sur poutre, G1.

« ER évadé / 18-11-44 / ER évasion. » Craie, G1.

« C[ote] – 48,12 [mètres] », indication technique. « Rondeau Eugène / Evasion / 18-11-44 / Courage M.A.T ». Mine de plomb sur pilier, G1. Rondeau a inscrit ses initiales trois fois dans ce bloc. Trois personnes ont témoigné de son évasion par des inscriptions, la dernière huit mois plus tard.

« 1943 », suie, cachot ; « 1945 », brique gratée, Bunker ; « [sigle PCF] 1944 », craie, galerie technique ;
« 1938 », béton ciselé, galerie technique.

« DIEU EST/LA MERDE ». Craie, B. Une seconde main ajoute « FRANCE », une croix, le mot « VIVE », efface le mot « EST », et barre l'obscénité. L'inscription originale rappelle l'expression yiddish « *Gött ist drek* ».

Galerie technique.

PAGE CI-CONTRE : Encre sur pilier, cachot.

PAGE CI-CONTRE : Cave, Bunker.

Galerie technique.

Galerie technique.

PAGE CI-CONTRE : Cave 167, Bunker.

Cave 167, Bunker.

« I _PAUL' / BITE ». Inscription au chalumeau, galerie technique.

PAGE CI-CONTRE : Cave 200, Bunker.

« 1944/1945/1946/1947 ». Inscriptions au chalumeau, Bunker.

« [Sigle du PCF] 1944 ». Craie, galerie technique.

PAGE CI-CONTRE :
« ESC 18/CHAUDIERE/DOUCHE ».
Peinture, galerie technique.

ESC18.
CHAUDIE

« ALIMEN/TATION/CHAUDIERE/IFME/RIE ».
Peinture, galerie technique.

La localisation des services et des équipements du rez-de-chaussée est systématiquement indiquée dans la galerie technique par des inscriptions exécutées à la craie puis avec de la peinture. Elles ont été apposées dès l'ouverture du camp en août 1941. En 1943, Brunner interdit toute signalisation en langue française dans le camp.

ALIMEN
TATIO
CHAUDIER
I F ME
RIE

« COL.1 », « COL.11 », « COL.2 ».
Craie et peinture.

Douze « collecteurs » ou puisards de 3 mètres de profondeur ont été aménagés dans les murs intérieurs de la galerie technique et reliés aux égouts, après la construction du bâtiment mais avant sa mise en service.

PAGE CI-CONTRE :
Craie et peinture, galerie technique.

La numérotation de l'époque des 22 escaliers dans le sens contraire des aiguilles d'une montre – préservée au sous-sol – a été inversée lors de la réhabilitation du bâtiment en 1948.

DOUBLE PAGE SUIVANTE :
Dix-neuf services et équipements du camp sont signalisés sur les murs de la galerie technique. Ces signalisations indiquent la présence, entre autres, de quatre cuisines, deux prisons et un poste de police. Le terme d'argot « PLUCHE » pour l'épluchage des légumes confirmerait l'origine militaire du marquage.

ESC.3
ESC 17
ESC.5
ESC 21
ESC.7

MED.
CHEF
CUIS. 2
COIF.
CUI. N°3
CHARBON
MATER

PRISON
ANNEXE

UN TUNNEL EN TROMPE-L'ŒIL ?

Onze mois jour pour jour après la libération de Drancy, des survivants ayant participé au creusement du tunnel se réunirent à Paris le 18 juillet 1945. Ils rédigèrent un document dactylographié de deux pages : il s'agit de la liste des noms de tous ceux qui participèrent à la tentative d'évasion, accompagnés de leur adresse et du sort qu'ils connurent – « déporté sans nouvelles », etc. Ce document contenait en outre une déclaration par laquelle le groupe de survivants interdisait « *sauf convocation spéciale* » à trois des principaux responsables du camp autrefois membres du « brain trust » de l'opération – des hommes qui avaient échappé à la déportation – de participer à toute future réunion, et stipulait que deux autres anciens détenus étaient « *exclus du groupe jusqu'à nouvel ordre* ». Il n'y a aucune mention que le but de l'opération était l'évacuation en masse de tous les détenus du camp [1]. L'existence de divergences est, au vu de ce document, manifeste.

En quoi consistait cette évasion ? Une recherche dans Google donnerait rapidement une réponse. André Ullmo, avocat survivant de Drancy et co-conspirateur du projet d'évasion, éventuellement même « l'initiateur », était un faussaire de papiers d'identité dans la Résistance puis à Drancy. Ullmo affirme dans son récit publié en 1964 que le projet d'évasion fut envisagé expressément par Blum comme un acte de haute résistance : « *Pour reprendre la lutte, il fallait être libre* [2]. » Il ne s'agissait pas uniquement pour des combattants de retrouver la liberté afin de reprendre la bataille mais de « *permettre l'évasion de tous les internés* », car ils ne se trouvaient « *pas moralement en droit de réaliser cette évasion pour quelques-uns seulement* » pendant que les autres auraient à craindre des « *représailles terribles* » [3]. Or, à cette époque, grâce aux postes à galène et à Radio Londres, dont les informations étaient retransmises quotidiennement en langage des signes depuis une maison avoisinante, on savait la destination des convois et le sort réservé aux personnes à leur bord. Quel poids pouvait avoir la peur de représailles lorsque la déportation équivalait à la mort ?

Selon toute vraisemblance, l'évasion consistait à faire descendre dans les caves environ 2 000 personnes réparties sur quatre étages via 22 escaliers et ce sans aucune répétition et dans le plus grand calme, puis à leur faire emprunter jusqu'à 470 mètres de galeries souterraines, monter une étroite échelle de service de deux mètres, en descendre une autre et enfin avancer à quatre pattes dans un boyau de 40 mètres de long. Il était prévu selon Ullmo en 1964 que la « dispersion » se fasse en « *une seule nuit* » et en deux temps, une première évacuation entre l'appel du soir et le couvre-feu et une seconde entre la levée du couvre-feu et l'appel du matin [4]. C'est-à-dire 60 minutes en tout. Les horaires du camp venaient d'être recalés sur la saison en ce mois de septembre 1943, le réveil à 7h, l'appel à 7h30 ; la rentrée après l'appel à 21h30, l'extinction des lumières à 22h [5]. De 949 personnes au moment du lancement du projet, la population du camp passa à plus de 1 700 la semaine de sa découverte. C'est-à-dire qu'une personne aurait dû sortir du tunnel toutes les deux secondes.

L'entrée du tunnel se trouvait dans la cave située sous le bureau du commandant du camp, c'est-à-dire à l'extrémité de l'aile ouest du bâtiment – les extrémités des deux ailes étant les seuls endroits où le mur de la cave du premier sous-sol « donne » sur le devant du bâtiment.

Le tunnel allait vers le sud-ouest en direction d'une hutte située à l'extérieur du périmètre de sécurité, près de l'entrée principale du camp, de son mirador et de son poste de garde, à une quarantaine de mètres du bâtiment. « *Ventilé, électrifié et entièrement boisé* », selon le récit d'Ullmo, le boyau haut de 1m30 et large de 80 cm remontait progressivement pour atteindre une profondeur de 1m50. La structure visée par le tunnel abritait supposément la cage d'un escalier menant à une tranchée couverte de la Défense passive (DP), laquelle courait parallèlement à l'avenue Jean Jaurès et mesurait, selon Ullmo, 2 000 mètres de long. Si telle avait été sa longueur, cette tranchée-abri aurait dépassé les limites municipales de Drancy à l'Est, ce qui n'aurait pas échappé à l'attention de l'historien de Drancy, Raymond Liegibel, lequel a répertorié des tranchées moins impressionnantes que celle-ci [6]. Les hommes-taupes auraient donc eu à percer, sous le nez des sentinelles, la paroi en briques ou en ciment de la cage d'escalier. Une fois dans la tranchée, ils auraient averti un membre résistant de la DP par un signal convenu qu'il devait déverrouiller la porte de sortie de la hutte. Des centaines d'hommes, de femmes et d'enfants seraient alors sortis de terre sur un des axes principaux de la ville – littéralement à l'arrêt de bus, soit à 20 mètres de 120 gendarmes et de deux compagnies de la Wehrmacht, sur un lieu grouillant de miliciens et d'agents – et seraient montés pour la plupart dans des camions qui, grâce à un autre signal, seraient arrivés par dizaines conduits par des résistants qui les auraient amenés dans des cachettes préparées dans la région et tout cela pour presque 2 000 personnes sans papiers et le plus souvent ne parlant pas le français. Où se seraient-ils cachés ? La population juive encore en liberté – quelques milliers de personnes à Paris [7] – restait elle-même cachée, ou bien avait déjà fui. En outre, quel groupe de résistants disposait d'une tel nombre de véhicules, sans parler de l'essence ? Un survivant qualifie le projet d'« *utopique* » ; un autre affirme « *n'y avoir pas cru une seconde* ». Un troisième m'a dit qu'à l'époque il n'a jamais été informé que le plan concernait *tout le monde* [8].

Une autre narration du projet est proposée par le récit écrit dans la seconde moitié des années 1940 par le résistant et co-conspirateur Jean Bader et, à ma connaissance, jamais publié – un compte rendu détaillé de son internement en 1943-1944 [9]. Il y décrit de première main et à la première personne les activités clandestines dans le camp mais passe brusquement à la troisième personne du pluriel dès qu'il évoque le tunnel, projet auquel il ne consacre par ailleurs qu'un paragraphe et qu'il introduit par un démenti : cet « *embryon de résistance* » n'a été « *ni aussi intense, ni aussi héroïque que certains ont tenté de le décrire* ». Adoptant une distanciation volontaire avec les faits, Bader note que « *de nombreux internés y ont participé* », sans préciser qu'il était lui-même impliqué dès l'origine. Approximations et inexactitudes se succèdent ensuite comme pour accentuer cette volonté de distanciation : plusieurs – notion très vague – abris anti-aériens de la Défense passive ; 10, et non pas 14 torturés ; 70 et non 65 déportés en représailles ; une durée de « plus de trois mois » alors qu'en réalité le creusement ne dura que deux mois. Bader affirme que le projet fut lancé sous l'« impulsion » de Georges Kohn, alors que celui-ci, déjà démis de sa fonction de commandant du camp, avait ouvertement déclaré qu'il était hostile au projet.

Enfin, il passe sous silence son propre rôle. En effet, de par sa fonction dans les MS, il possédait les clés des caves et, à ce titre, fut parmi les premiers à être recrutés dans la conspiration, dont il devint le chef de la sécurité et du renseignement. Il est l'un des trois hommes que le groupe de survivants interdit de réunion sauf convocation spéciale dans leur fameuse déclaration de 1945. Aucune mention d'une évacuation totale du camp.

Les récits de Bader et d'Ullmo concordent avec les propos de l'avocat Serge Klarsfeld pour dire que le tunnel a bien fait l'objet d'une dénonciation ; issue sans doute inévitable étant donné l'ampleur de l'opération et sa durée. Bader met en cause un non-Juif, Ullmo deux. Pourquoi deux, quand un seul aurait suffit ? Selon une autre source encore, c'est un « *gosse de quatorze ans* » qui aurait averti les autorités [10]. Personne, en revanche, ne suggère que le mouchard fut un membre de l'équipe. Un survivant remarque, à juste titre, que « *si les gens avaient parlé, ils auraient dit où était le tunnel* [11] ». Or, selon l'ensemble des témoins, les Allemands ont commencé leurs recherches à l'opposé de là où il se trouvait.

Par une singulière coïncidence, les SS interviennent juste avant l'achèvement du tunnel, à un jour près. Et heureusement pour l'équipe du tunnel, ils commencent leurs recherches du mauvais côté du bâtiment, ce qui permet aux hommes de l'équipe de prendre leurs dispositions. Alors que les SS connaissaient aussi bien l'existence de l'abri de la DP que la configuration générale du camp, ils défient toute logique en commençant leurs recherches – sur ordre personnel de Brunner – sous leur propre poste de garde, s'abstenant de vérifier le seul autre point à la fois relativement plus proche de la liberté et plus éloigné d'un poste de surveillance, inspectant méthodiquement la totalité du sous-sol, escalier par escalier, avant d'aboutir, plusieurs heures plus tard, au bureau du commandant juif.

Si quatorze creuseurs de tunnel furent identifiés et arrêtés [12], c'est seulement en raison de la bêtise de l'un d'eux qui avait oublié de retirer l'étiquette de buanderie de son pantalon de travail laissé, dans la précipitation de l'évacuation, dans le tunnel. Les représailles « au hasard » qui suivirent épargnèrent le corps des MS, qui avaient fourni la base de la main-d'œuvre, pourtant visé en cas d'évasion. Des 40 membres « permanents » de l'équipe du tunnel, 30 étaient des employés du camp ou cadres, dont 7 MS, 12 chefs de service et 4 chefs d'escalier – une véritable « opération policière », pour reprendre le terme de Rajsfus.

Le régime mis en place par Brunner en juillet 1943 apporta un sens nouveau au concept de collaboration à l'intérieur du camp de Drancy. La « bande de Compiègne », un groupe formé autour du colonel Blum et composé de 51 Juifs français [13], dont de nombreux résistants, fut transférée par Brunner à Drancy le 26 mai 1943. Huit jours plus tard, ce dernier nommait Blum commandant du camp, en remplacement de Kohn. Les nouveaux venus prirent immédiatement le contrôle du camp, s'assurant neuf postes de commandement sur dix et évinçant ceux qui possédaient le sésame permettant théoriquement d'échapper à la déportation – une épouse « aryenne » dûment certifiée. Klarsfeld décrit leur régime comme étant l'unique cas de « *coopération policière* » connu entre Juifs et Allemands en France. « *Une véritable collaboration* […] *s'est instaurée entre la petite équipe de*

SS autrichiens de Brunner et l'équipe au sommet de la hiérarchie juive du camp, et qui restaient à l'abri de la déportation, tant qu'elle rendait service à la Gestapo[14].» Ainsi, tout porte à croire que Brunner préparait le camp à fonctionner de manière autonome afin de s'absenter et ratisser la zone Sud.

Selon un témoin, les nouveaux Compiégnois étaient « *des Français venant en général de province, surtout de l'Est, nantis de bonnes situations, officiers, suspects d'activités résistantes,* [...] [ils] *n'étaient pas conjoints d'aryennes et risquaient de partir par le premier convoi.* [...] [Ils] *parlaient tous parfaitement l'allemand, ils venaient d'un camp administré directement par la Wehrmacht et les SS. Plusieurs d'entre eux y avaient rempli des fonctions. Ils étaient jeunes et actifs. Les plus hardis s'adressèrent directement aux SS*[15] ». C'est sous le bureau de Blum que le tunnel fut creusé, et c'est son groupe qui fut à l'origine du projet.

Le tunnel était connu[16] et bien des candidats furent attirés vers le projet par le bouche à oreille. Son « utilité publique » agissait-elle comme un bouclier ? Est-ce le fantasme collectif qu'il exprimait qui lui permit d'exister ? Seul un membre sur cinq du personnel de l'encadrement « non-déportable » (ou C1) était impliqué dans le projet ; cela laissait donc 160 C1 qui pouvaient avoir intérêt à dénoncer l'entreprise, les C1 étant tenus responsables en cas d'évasion[17]. Les Allemands ont-ils fait la sourde oreille ?

Les deux récits, celui de Bader comme celui d'Ullmo, sont décevants. L'un est plus agréable à entendre que l'autre, tant il est peu réaliste, mais quoi qu'il en soit les deux faillent. Tandis que l'un des auteurs cherche à disparaître de l'histoire, l'autre tente de maximiser son rôle. Ullmo a changé un détail crucial dans sa version des faits entre la publication de son texte en 1964 et un entretien publié en 2001[18]. Il attribue désormais l'inspiration du projet non plus à Blum mais à un autre conspirateur du début, aujourd'hui décédé. En tout et pour tout, la source de l'idée du projet a été attribuée à cinq personnes différentes, dont une qui a proclamé son hostilité et une autre jamais évoquée jusqu'alors. Ullmo, mort en 2008, fut le seul des survivants à avoir assisté à la genèse du projet, les autres ayant été recrutés ultérieurement.

Cui bono. A qui le profit ? Pour l'équipe du tunnel, les conséquences de l'échec furent moins terribles qu'on aurait pu le craindre : sur environ 70 participants, 56 ne furent pas inquiétés, seulement 12 furent arrêtés et déportés. Parmi les 65 personnes déportées en représailles (et qui l'auraient été « de toute façon »), aucun MS.

Pour les SS, ce fut une réelle réussite. L'apparente faille dans la sécurité, loin de déstabiliser le camp facilita durant soixante jours, de fait sinon par coïncidence, la mission de Brunner dans la zone Sud et ce tandis que la soixantaine de détenus parmi les plus résistants de Drancy se terraient de leur plein gré dans un trou.

On aurait pu s'attendre à ce qu'un éventuel mouchard ait été recompensé, mais il n'en est rien : un suspect a été déporté, un autre a fini la guerre à Compiègne. Et si Kohn est a priori suspecté à cause de son hostilité déclarée, il avait été transféré, grâce à son statut « d'époux d'aryenne » à Austerlitz, centre de tri de biens spoliés à Paris, en octobre.

Deux des conspirateurs du noyau dur du projet – dont un fait partie, rappelons-le, des trois hommes interdits de réunion par le fameux groupe de 1945 – ont suivi des parcours notables dans le camp. De novembre 1943 à janvier 1944, le premier se vit confier le contrôle du recrutement des policiers, des déplacements à l'intérieur du camp et des entrées et sorties (puisqu'il avait autorité pour délivrer des brassards aux MS ainsi que des laissez-passer) [19]. A une date antérieure au 22 février 1944, il fut nommé *Lagerleiteramt*, ou chef de camp adjoint. Enfin, une note d'attribution de chambre datée du 19 février 1944 lui attribue le privilège considérable d'occuper l'une des deux seules chambres individuelles du Bloc III (l'autre étant occupée par un détenu juif « renégat », le redouté chef des « Missionnaires » et de la sécurité pour Brunner [20]). Le second fut nommé le 1er mars 1944 chef de police du camp en charge donc du contrôle des fouilles et de la prison [21].

Selon tous les récits, Brunner n'intervient qu'à la toute fin, lorsqu'il descend tel un deus-ex-machina et ferme le rideau. Des survivants affirment en 2001 qu'ils ne l'avaient pas vu dans le camp depuis la mi-septembre [22], or Brunner est revenu au moins deux fois de Nice, signant le 30 septembre la demande pour le convoi 60 puis le télex annonçant le départ du convoi 61 le 28 octobre. Du 17 septembre au 10 novembre, un afflux ininterrompu de Juifs arriva à Drancy en provenance de Nice, dont beaucoup brisés par les tortures ; ils s'entassèrent dans le Bunker à raison d'un arrivage tous les trois ou quatre jours de plusieurs dizaines à des centaines de personnes. Même les enfants dans le camp étaient au courant des rafles opérées dans le Sud [23].

Brunner a fait de la tromperie un art à Drancy, ou du moins son outil de gestion de prédilection. Comme l'a déclaré le détenu Georges Wellers, « *le mensonge, la ruse et l'hypocrisie relevaient pour Brunner de la procédure standard* ». Son goût pour la mise en scène ne connaissait aucune limite. Il faisait charger de la nourriture à bord des trains pour faire croire que les prisonniers seraient nourris. Il faisait accrocher un « wagon médical » aux convois, avec des infirmières et des médecins déportés censés s'occuper des vieillards et des malades – mais en prenant soin de stocker les médicaments dans une voiture inaccessible pendant le voyage. Il faisait envoyer par des déportés à leurs parents toujours à Drancy des cartes postales de Pitchipoï, la destination mythique des convois, quelque part « à l'Est ». Il faisait établir aux détenus des reçus pour leur argent, remboursable en *zlotys* une fois qu'ils seraient parvenus à destination. Il créa le corps des « Missionnaires », des détenus qui écumaient Paris avec des agents de la Gestapo, demandant du feu aux passants en yiddish ou faisant pression sur les parents de personnes déjà arrêtées afin qu'elles les rejoignent à Drancy pour un « regroupement familial ». Brunner faisait préparer aux déportés des bagages pour le voyage. A ceux qui n'en avaient pas, il donnait des vêtements fournis par l'UGIF. Il envoyait les malades à l'hôpital ; plus tard il arrêta tous les patients et personnels juifs de l'hôpital. Sachant que la rumeur susciterait de faux espoirs, il enferma le juriste Kadmi Cohen dans une pièce de Drancy durant trois mois afin qu'il étudie le projet fantôme de déportation des Juifs vers Madagascar, projet que les nazis avaient abandonné deux ans plus tôt. Pour le chasseur de nazis Simon Wiesenthal c'est Brunner qui a « inventé » la collaboration juive [24].

Est-ce un tunnel en trompe-l'œil ? « CI-GÎT LA GRANDE ILLUSION DE 14 INTERNÉS JUIFS DU CAMP DE DRANCY. » Les membres de l'équipe du tunnel auraient laissé un message derrière eux en 1943, tracé dans le ciment recouvrant le dernier des deux murs de briques qu'on leur avait ordonné d'édifier afin de condamner l'ouverture [25]. Cette inscription murale n'a jamais été retrouvée.

Sorti en 1937, *La Grande Illusion* de Jean Renoir fut qualifié d'hymne pacifiste. Le premier film d'évasion en temps de guerre voit se côtoyer des officiers français et allemands pendant la Première Guerre mondiale dans le camp de Hallbach, d'où les malheureux sont transférés dans une autre prison alors qu'ils ont presque terminé de creuser un tunnel.

En 1946, Renoir est obligé par la censure de couper deux scènes, d'une longueur totale de 18 minutes : la scène d'amour entre Jean Gabin et l'actrice allemande Dita Parlo, et celle où le Juif Rosenthal offre du chocolat à un soldat allemand. A l'époque où Brunner, pour n'évoquer qu'un exemple parmi des milliers, s'est servi de la complicité des autorités occupantes et autres pour se soustraire à la justice et disparaître, ces 18 minutes auraient peut-être été jugées un rappel trop fort dans le climat d'après-guerre où l'heure serait bientôt à l'amnistie. Pour les membres infortunés de l'équipe du tunnel, à la veille de leur déportation, c'était au cœur du problème.

Sur le nouveau site Web du Conservatoire historique du camp de Drancy, la liste originale de l'équipe du tunnel a été écourtée de cinq noms, dont deux des hommes du « brain trust » disgraciés en 1945. En fait, il n'y a plus mention d'un soi-disant « brain trust » du tout. Le tunnel en revanche gagne plusieurs mètres, passant de 35 à 38,5 mètres. Quant à la dispersion des quelque 1 700 détenus, alors qu'en 1964 on précisait qu'elle devait se faire en deux temps d'une demi-heure chacun, le site du Conservatoire indique qu'il était prévu qu'elle dure, de façon plus réaliste semble-t-il, toute la nuit, c'est-à-dire qu'une personne passe toutes les 20 secondes pendant 10 heures. Sans pleurs de bébé...

Un tunnel est un goulet d'étranglement. Comme nous le rappelle Ziffel, « *l'évidence est ce qui s'oublie le plus facilement* [26] ».

1. Document dactylographié de deux pages, daté du 18 juillet 1945, CDJC-*CDLXXII-66 : « Membres du Brain-Trust et Service de Sécurité ne pouvant assister aux réunions sauf convocation spéciale* [:] *Roger Levy, Bader Jean, Ullmo Jean.* » Exclus : Henri Schwartz, Georges Kohn.
2. Ullmo, André, *Témoignage sur la Résistance, Le monde juif,* CDJC, n° 3-4, p. 138, mai 1965, p.15-19.
3. Ullmo, *Témoignage*, CDJC-*DLXXII-50*, in Rajsfus, *op.cit.*, p. 325. (Voir p. 31 du présent ouvrage.)
4. Ullmo, *op. cit.*, p. 15.
5. Rajsfus, *op. cit.*, p. 272.
6. Archer, Georges, *De Terentiacum à Drancy, histoire d'une commune de la Seine,* Montpellier, 1964, p. 73-74 ; Liegibel, Raymond, *Une commune dans l'histoire de la France : Regards sur Drancy,* Société drancéenne d'histoire et d'archéologie, 1979 et 1986, p. 289.
7. Des chiffres assez divergents sont avancés : Serge Klarsfeld (*Calendrier,* p. 972, *cf. infra* note 13) spécule, en se fondant sur un recensement de 67 000 Juifs en mars 1941, mais sans qu'il soit possible de prendre en compte les fuites, qu'il serait resté jusqu'à 40 000 Juifs dans la capitale à cette époque.
8. Dubessay, Nadège, « Robert Schandalow, l'évadé de Drancy », *L'Humanité,* 27 avril 2002, p. 2 ; Thorpe, Janet, *Nous n'irons pas à Pitchipoï, le tunnel du camp de Drancy,* de Fallois, Paris, 2004, p. 106 ; Sciama, Michel, entretien, 2005.
9. Bader, Jean, *Témoignage sur le Camp d'Internement de Drancy juin 1943-août 1944,* CDJC-*DLVI-111*.
10. Bader, *Ibidem*, note p. 4.
11. Thorpe, *op. cit.*, p. 138.
12. Quatorze membres de l'équipe du tunnel (19 selon certaines sources) qui auraient été dénoncés par Henri Schwartz furent arrêtés, interrogés et déportés le 20 novembre 1943 par le convoi 62 en même temps que des otages en représailles, dont Blum en tant que responsable et 40 (65 selon d'autres sources) autres C1 non déportables choisis au hasard.
13. Klarsfeld, Serge, *Le Calendrier des persécutions des juifs en France 1940-1944,* FFDJF, Paris, 1993, p. 808. Kohn évoque le chiffre de 92 dans Kohn, Georges, *Journal de Compiègne et de Drancy,* S. Klarsfeld (dir.), FFDJF, Paris, 1999, p. 205.
14. Klarsfeld, Serge, (dir.), *Journal de Compiègne et de Drancy*, *op. cit.*, introduction, p. 39.
15. Théo Bernard in Klarsfeld, S., (dir.), *op. cit.*, p. 38-39.
16. Darville, Wichené, *op. cit.*, p. 87 (voir p. 185 du présent ouvrage) : « *Bien des gens connaissent l'existence de cette lutte souterraine ; certaines personnalités savent et se tairont.* [...] *Pas un mot, pas un bruit ne viendra aux oreilles des mouchards ou des Allemands.* »
17. *Commandement à jour le 19.2.1944, Bloc III-1er étage,* CDJC-*CCCLXXVI-12, 2* : ce document démontre bien la fragilité relative de l'équipe du tunnel : parmi les 38 occupants du premier étage du Bloc III (11 chambres), il n'y avait que quatre conspirateurs, dont trois – Claude Rain (1702), Georges Bodenheimer (339), Jean Ullmo (2105) – partageaient la chambre 8 avec Roger Ullmo (2107).
18. Thorpe, *op. cit.*, p. 98-100.
19. Respectivement, CDJC-*CCCLXXVI-82* du 16 novembre 1943 et CDJC-*CCCLXXVII8e* du 15 janvier 1944.
20. *Commandement à jour le 19.2.1944, Bloc III-1er étage,* CDJC-*CCCLXXVI-12, 1* : *« Chambre 3 Reich Oscar 6975, Chambre 4 Ullmo André 2106 ».*
21. Jean Ullmo, nommé à la direction de la Police intérieure du camp le 1er mars 1944, CDJC-*CCCLXXVII-3, 4*.
22. Ullmo in Thorpe, *op. cit.*, p. 132.
23. Christophe, Francine, *Une petite fille privilégiée,* L'Harmattan, 1986, Paris, p. 83 : « *Les derniers arrivants à Drancy, en provenance de l'ex-zone libre, zone maintenant ratissée, encerclée, quadrillée, font tous figure de bêtes traquées. J'entends chuchoter de terribles histoires de chasse à l'homme.* »
24. Epelbaum, Didier, *Aloïs Brunner*, Calmann Lévy, 1990, p. 22.
25. Shandalow, Roger, « L'évadé de Drancy », *L'Humanité*, 4 juillet 2002, p. 2-3.
26. Semprun, Jaime, *Dialogues sur l'achèvement des temps modernes*, Éditions Encyclopédie des Nuisances, Paris, 1993, p. 23.

« W.C. / CH. ROUGE ». Les latrines, construites en briques par des détenus à l'automne 1941, furent aussitôt surnommées le « Château Rouge ».

« Soyez Propres ». Craie sur poutre, Bunker, escalier 11/12.

« *AUFPASSEN MENCHS* [sic] */ MORGEN KOMMT WIEDER...* »,
« Hommes, prenez garde. La lumière du jour revient en ce lieu... ».
Craie, galerie technique.

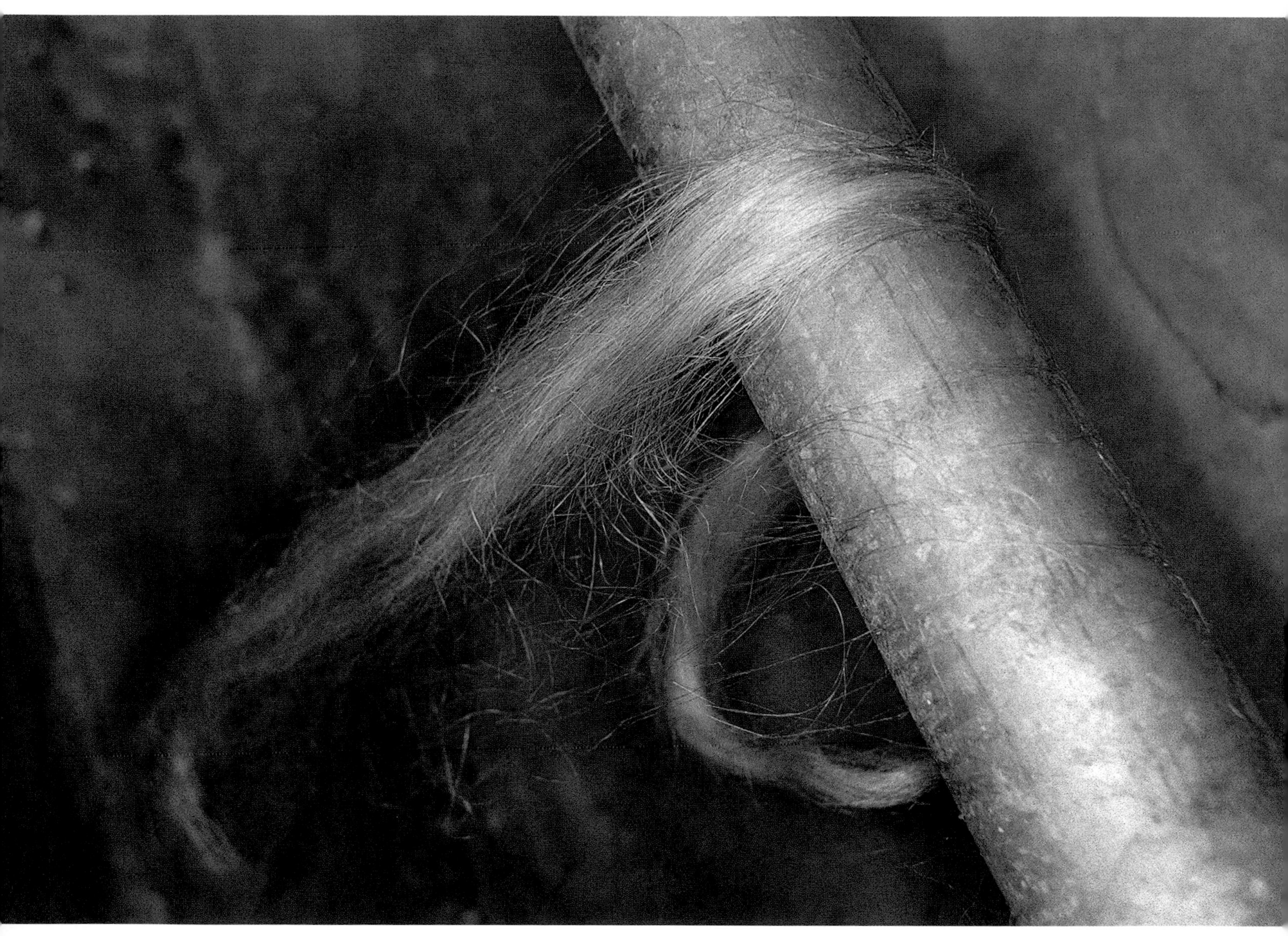

Galerie technique.

PAGE CI-CONTRE : Calendrier d'une peine devant durer 26 jours (du mardi 8 février au samedi 4 mars 1944), écourtée après quatorze jours, le 22 février, date rayée par une deuxième main. Il ne s'agissait pas d'une déportation, a priori, puisque le prochain convoi ne partirait que le 7 mars. Une personne fut libérée du camp ce jour-là. Inscription grattée sur une poutre, B.

« LEVASSEUR / 5/8/43 / tentative d'évasion ». Mine de plomb, plafond de cachot.

« CARNIOL / ANNONAY »

« BOLINKOFF / ALBERT
759 / 2(?)/08/1942 ».
Mine de plomb sur poutre.

« Venobah (?) / 14 avril 1944 »

« Larache / 11/3/44 ». Mine de plomb sur poutre.

DOUBLE PAGE SUIVANTE :

Couloir des cachots, escalier 22/1 ; avenue Jean Jaurès.

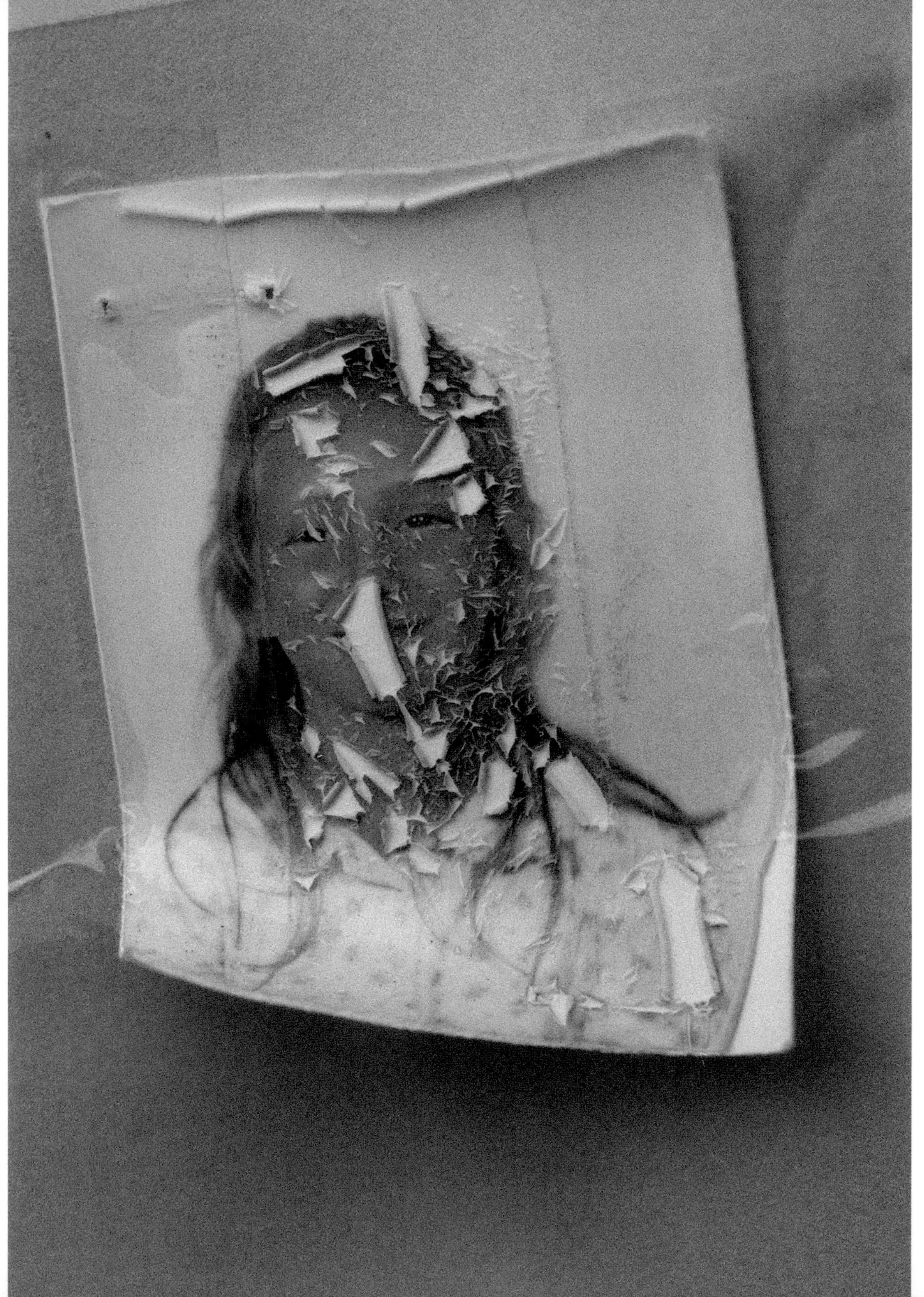

PAGE CI-CONTRE : Cage d'escalier des caves ; cachot ; escalier.

« Prière de s'occuper de cet ours, merci ». Cave 174, Bunker.

51

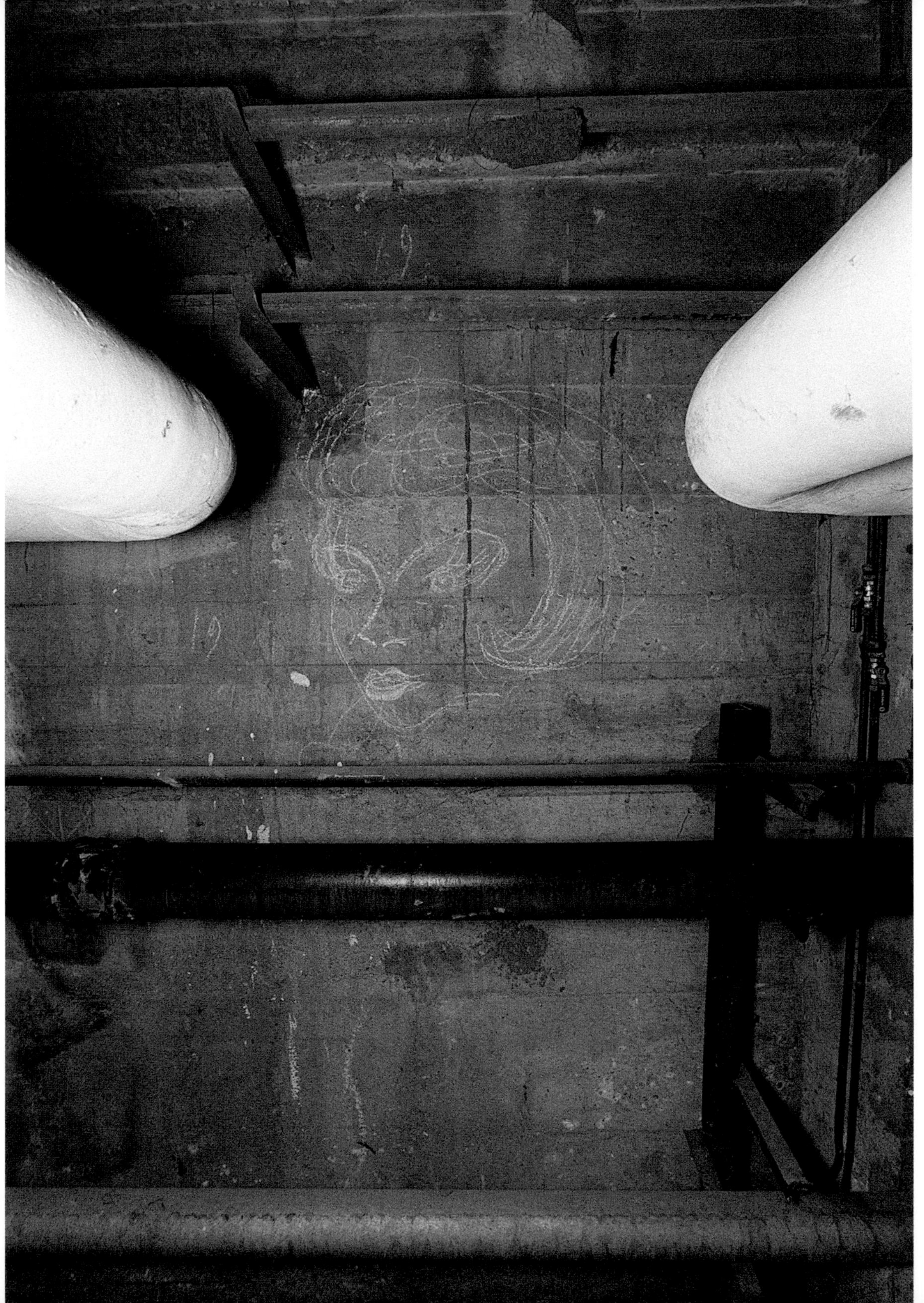

DOUBLE PAGE PRÉCÉDENTE :
Rue Auguste Blanqui.
Galerie technique.

À DROITE :
« F.A. / R.P. / M » avec dessin d'une autruche la tête dans le sable. Peinture sur le conduit d'une cheminée du premier étage, escalier 8/15, une entrée réservée aux femmes et enfants. D'autres couches d'inscriptions plus tardives se succèdent (de haut en bas) : « SUZANNE » / « Paul Weil » / « Paul Mao » / « Fabiolo 23/12/45 », de toute évidence un collaborateur présumé / « AWY » / « EVELYNE » (sur la tige du R) : le fichier du camp indique l'arrestation, le 31 décembre 1943 à Bordeaux, de plusieurs membres de la famille turque Alazraki, dont une Esteramle (matricule 10 635), âgée de 47 ans : aurait-elle francisé son prénom ?

PAGE CI-CONTRE : Portrait d'indien d'Amérique, craie. « DUMOURIN / BOSSELUT / 16-12-44/ DEPART 21-12 ». Inscription grattée sur un conduit de cheminée au premier étage, entrée 8/15.

DOUBLE PAGE SUIVANTE : Étoiles de David inscrites dans les cachots ; tags dans la Cité de la Muette ; numéro de matricule d'un Américain non juif déporté à Auschwitz pour faits de Résistance.

MORT
AUX
ES JUIFS
TA MÈRE

LA PORTE

La porte se dérobe au regard. Nous sommes passés plusieurs fois devant sans la remarquer, barricadée comme elle est derrière quatre grosses canalisations – eau de la Seine, gaz, eau municipale et vapeur – longeant le mur extérieur de la galerie technique. Enduite de ciment, elle est quasiment impossible à distinguer du mur en béton rongé d'humidité dans lequel elle se trouve. Sa cornière métallique rouillée est visible le long de son côté gauche et en travers de sa partie supérieure. L'enduit est récent, il a sans doute été posé lors de la reconstruction de la caserne en 1976. Par sa taille, 80 x 200 cm, elle est identique aux autres portes donnant accès au premier sous-sol. Sa particularité est d'avoir été l'objet d'un remaniement : le mur originel a été grossièrement percé, puis repris au ciment autour du cadre de la porte, dans le coin supérieur droit duquel a été fixé un câble électrique, le tout ayant sans doute été exécuté avant même l'installation des canalisations. Je n'ai retrouvé aucune date correspondant à la pose du conduit le plus ancien, sans doute celui destiné à acheminer l'eau de la Seine.

Située sous l'aile orientale entre les entrées 1/22 et 2/21 et en alignement avec l'« Emplacement » indiqué par le *Petit Atlas*, la porte pourrait être l'un des deux accès, tous deux condamnés en 1976, aux anciennes galeries des tours de la gendarmerie qui furent démolies lorsque la caserne fut reconstruite et un parking souterrain installé à cet endroit. Sur le site indiqué par le *Petit Atlas*, un cliché aérien de l'armée de 1939 montre un sol intact, dépourvu de toute structure. L'« Emplacement » n'a pas été réalisé.

Derrière cette porte, un sondage révèle une cavité. Non loin, sur le même mur, un grand graffiti en allemand dont les capitales d'imprimerie tracées à la craie sont pratiquement effacées par l'humidité nous avertit : « HOMMES, PRENEZ GARDE. LA LUMIÈRE DU JOUR REVIENT EN CE LIEU. »

· DIRECT ·

Le pont (D115), gare de Bobigny.

La gare de Bobigny (à gauche) et sa halle aux marchandises (au centre).

La gare de Bobigny (à gauche) depuis l'ancienne route des Petits-Ponts, l'avenue Henri Barbusse (D115).

dauphin
LA CITY
BOBIGNY

La gare fut réhabilitée en 1979, reprit du service comme gare de fret, puis servit de logement pour neuf familles de cheminots de la Brigade d'entretien de secteur, avant d'être fermée dans les années 1980. Deux filles et un garçon sont nés dans ses murs.

BOBIGNY

Passage de déchets allemands par la gare de Bobigny vers l'usine de retraitement COGEMA à La Haye le 11-12 avril 2001.

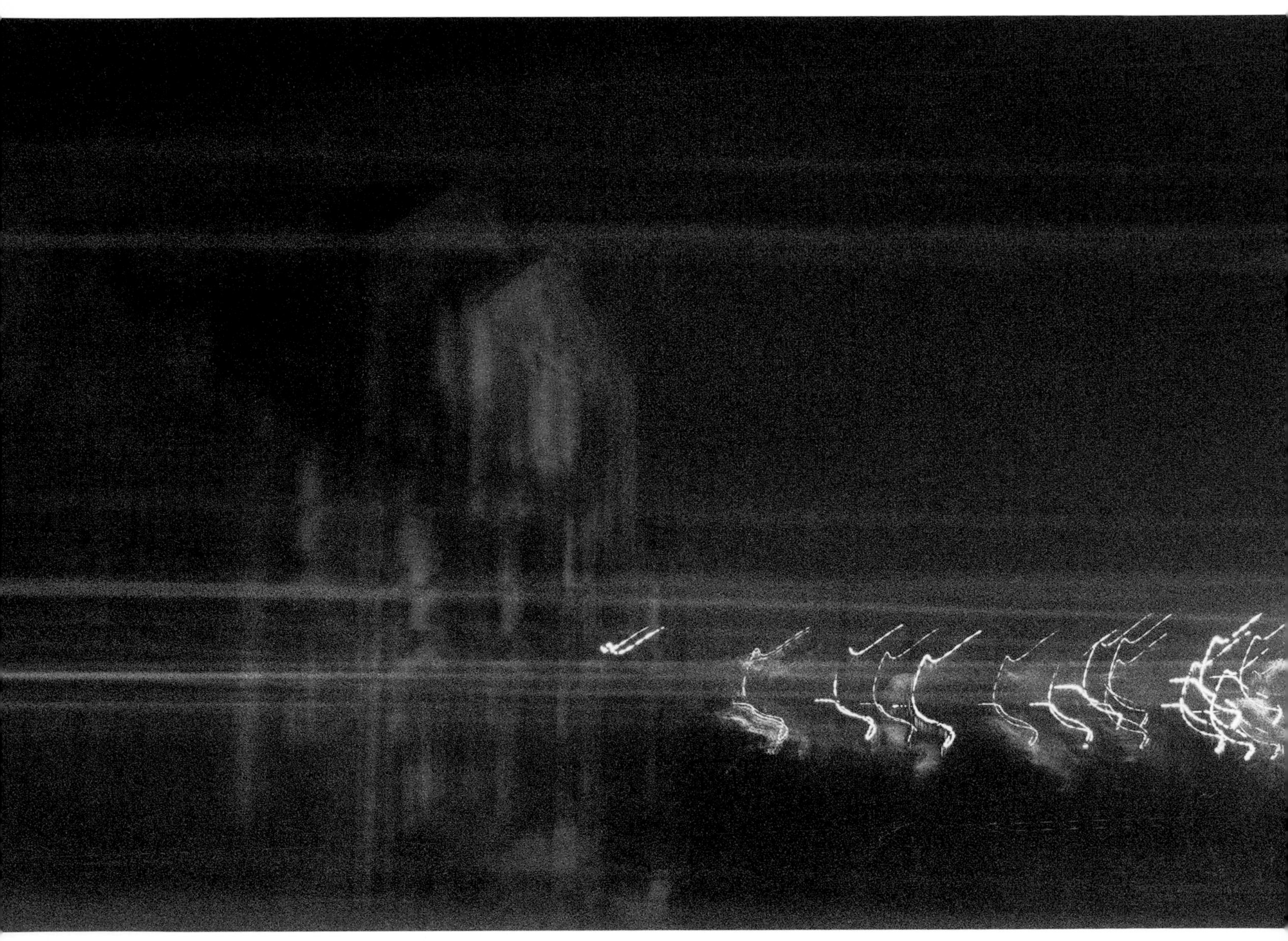

Nouvelle carte,
nouvelles tentations
Pizza Hut
RESTAURANT
C.C. Carrefour - DRANCY

Ce wagon a
été pesé

BOBIGNY
SNCF

BOBIGNY
1 MAXI BEST OF ACHETÉ
= 1 VERRE titeuf OFFERT
TCHô BEAUTÉ, JE T'OFFRE UN VERRE ?
BUS
151

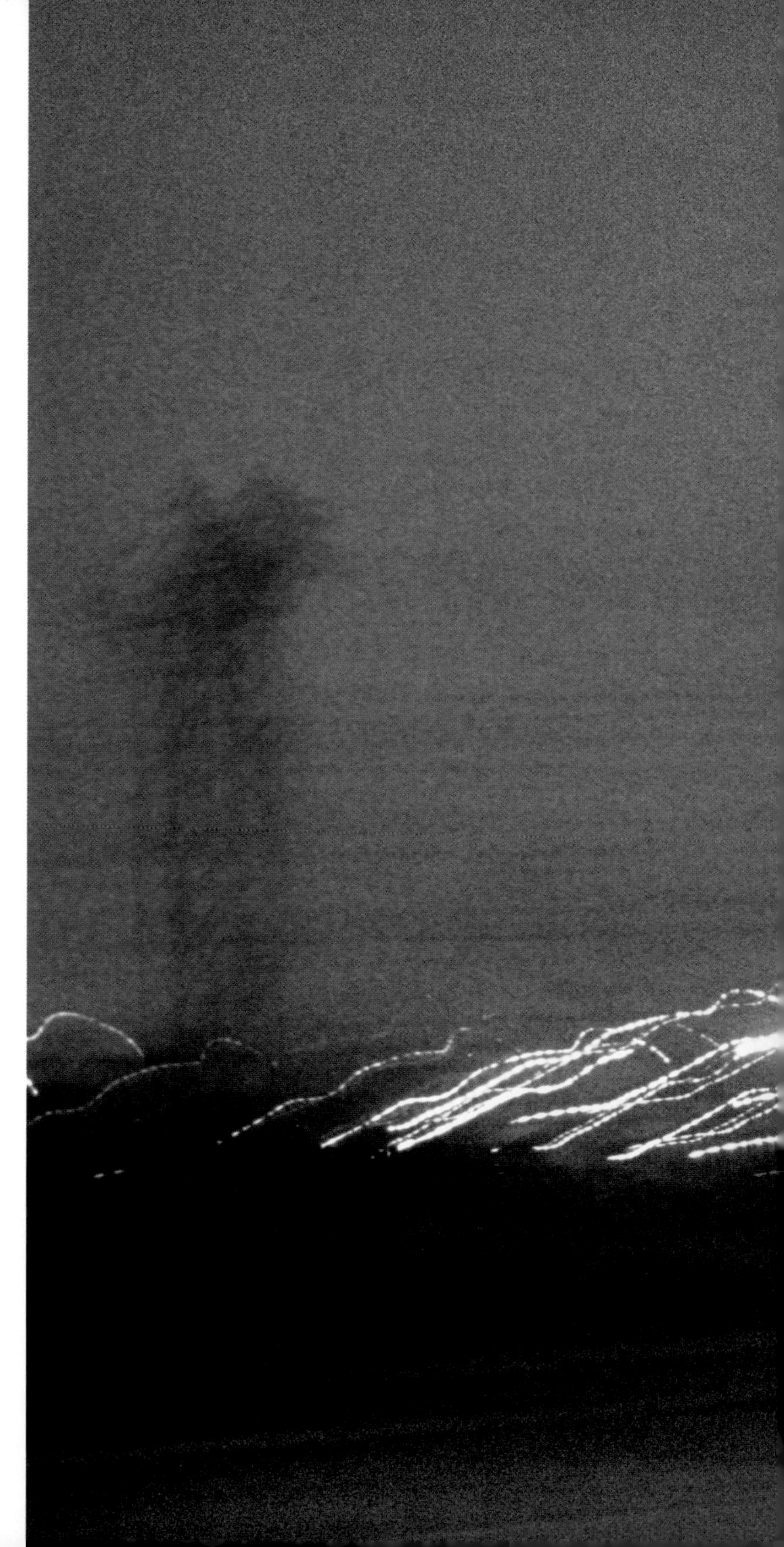

Diorama de l'arrestation d'un « collaborateur » par l'Armée Rouge, Club de Modélisme Drancéen.

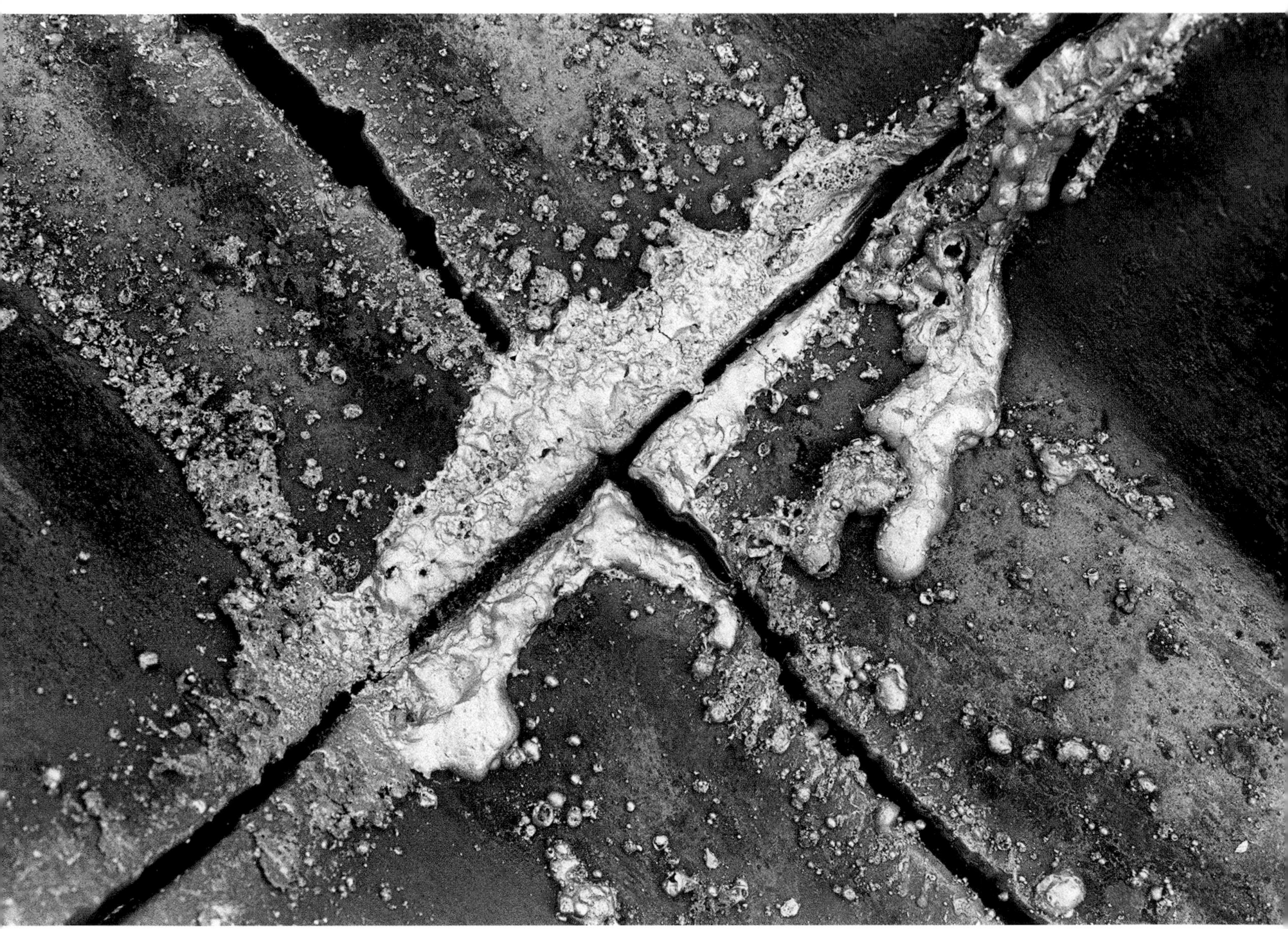

Arrestation rue Auguste Blanqui.

DOUBLE PAGE SUIVANTE : Gare de Bobigny, avenue Henri Barbusse.

Gare de Bobigny.

LES PLANS

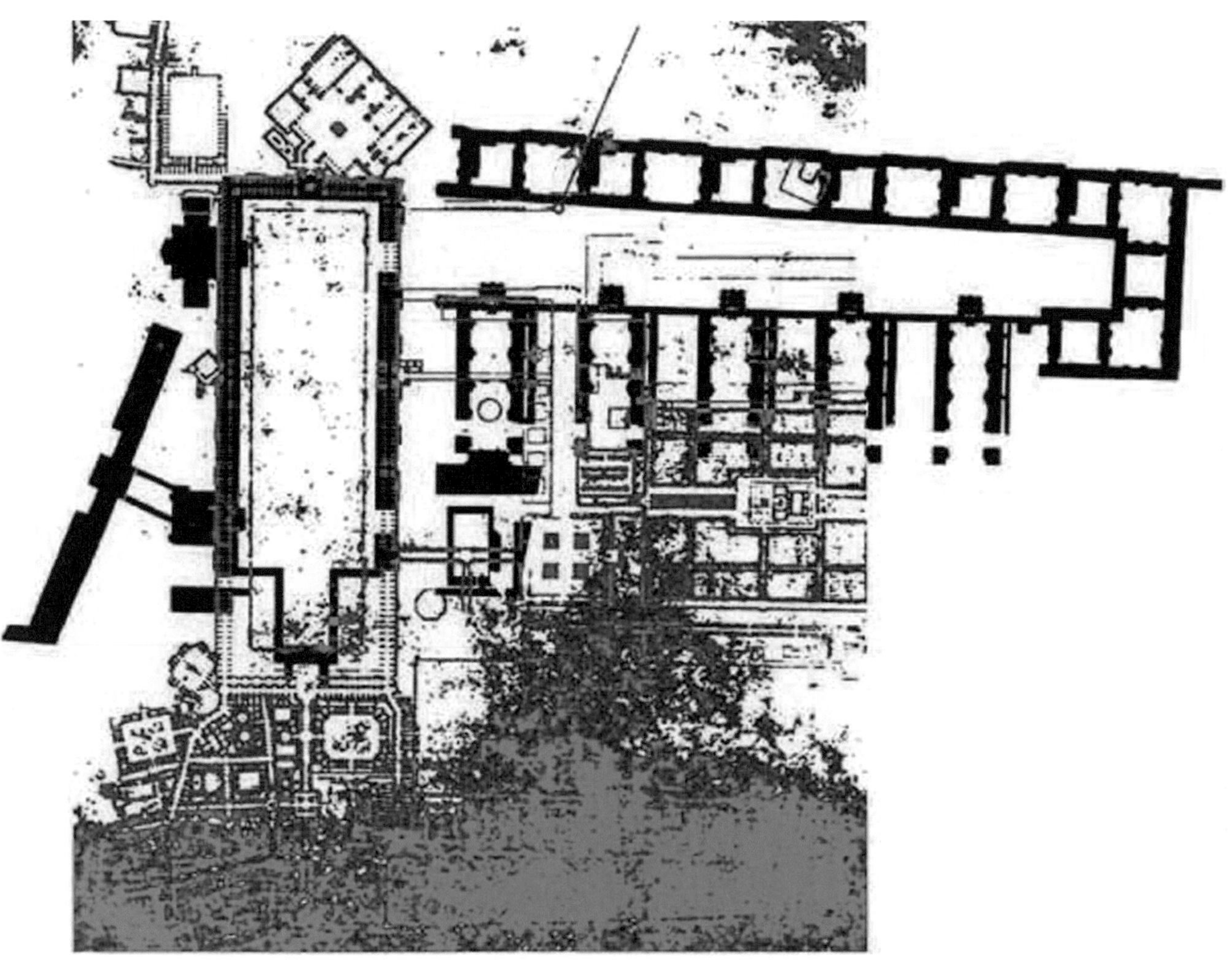

Superposition (avec modification d'échelle) du plan de masse de la Cité de la Muette d'Eugène Beaudouin et Marcel Lods, 1932 (en rouge) et du plan de reconstruction du Meidan-i-Shah, Ispahan, d'Eugène Beaudouin, 1932 (en bleu).

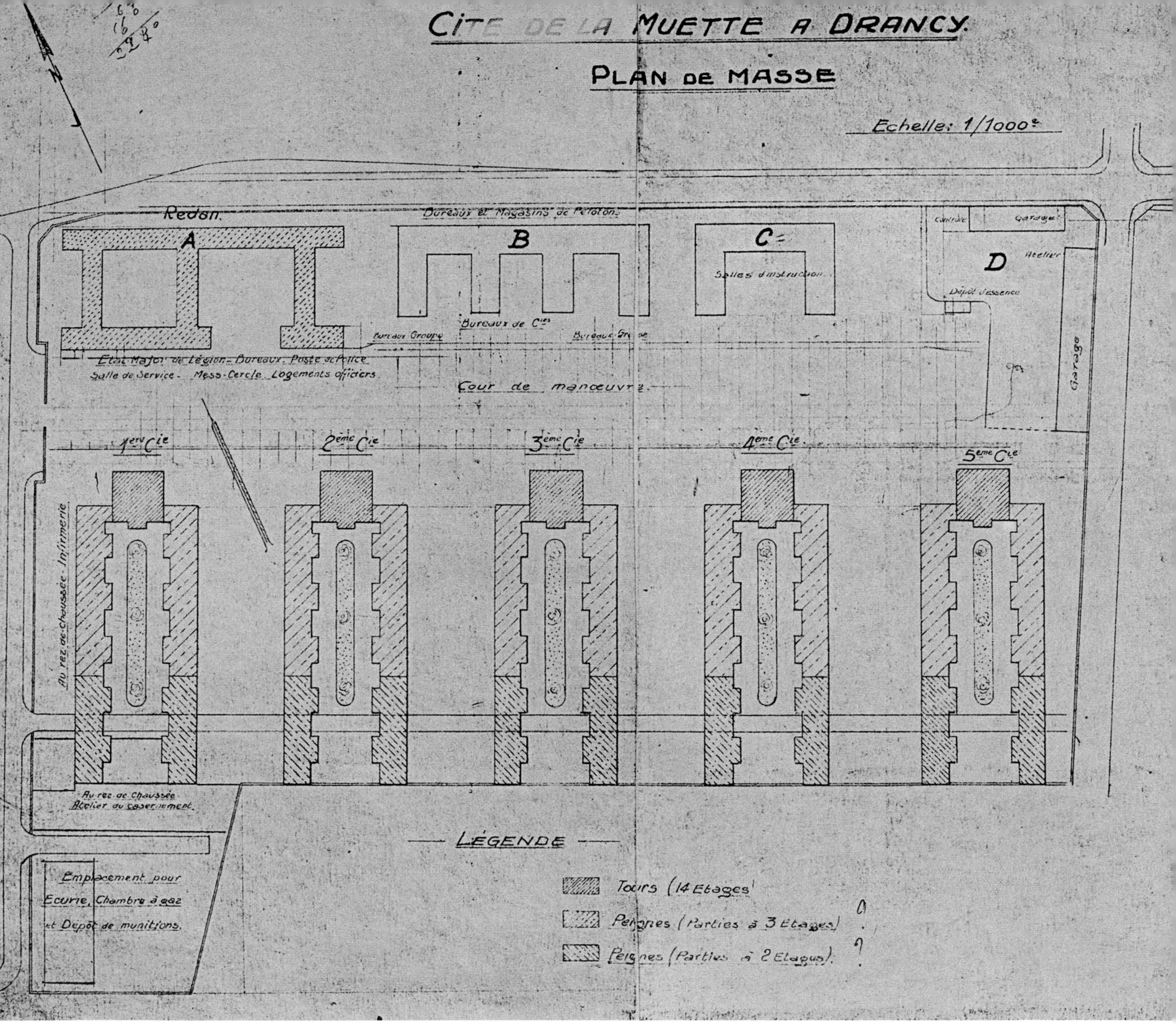

Petit Atlas de la Gendarmerie, v. 1934-1937. (Voir pages 54-55, 186.)

PAGE CI-CONTRE : Le camp de Drancy, organisation du rez-de-chaussée, 1943. Le Bunker (en rose), le premier sous-sol (en jaune), la galerie technique (en bleu) et les repères de service sont indiqués par nos soins. Le plan du Bunker, entre l'escalier 14 et la Petite Entrée, figure au-dessus, avec la numérotation originale des caves. Cellules (en rose) sous le bureau du commandant juif, escalier 22/1, après novembre 1943.

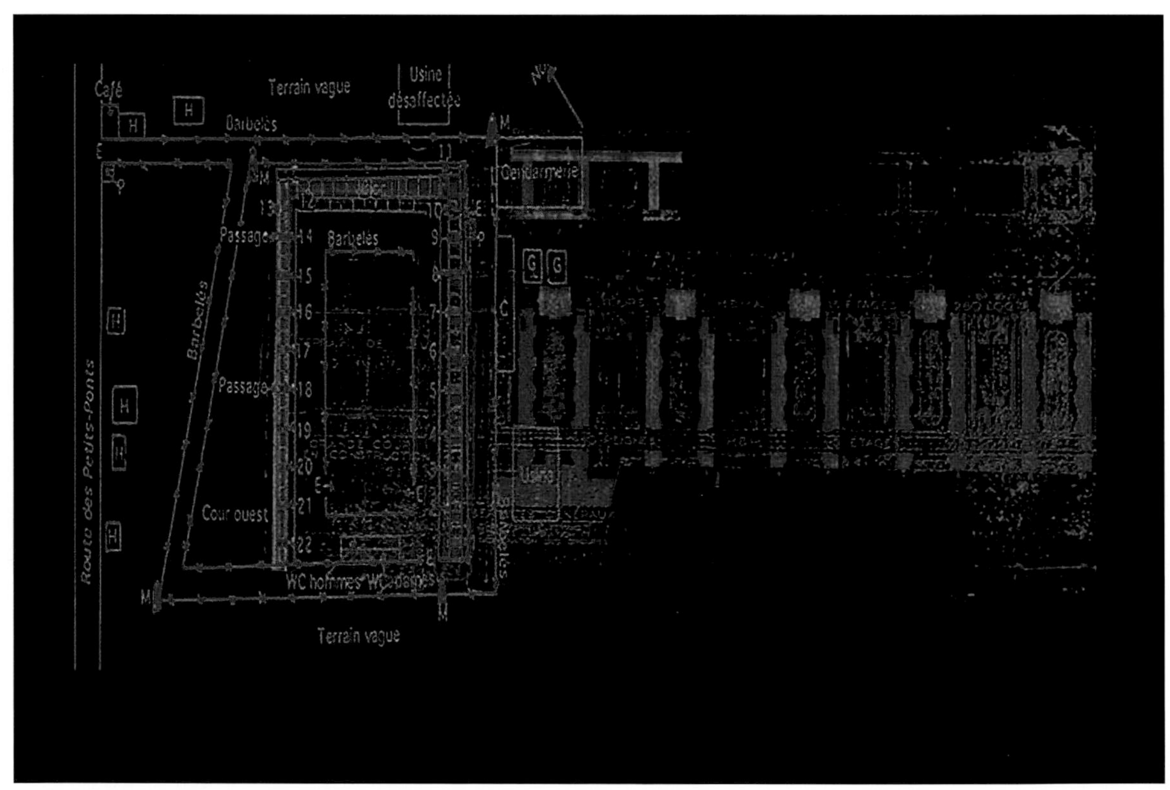

Superposition du dernier plan de la Cité de la Muette, Eugène Beaudouin et Marcel Lods, 1934 (en bleu), et d'un plan dessiné par un prisonnier, 1942 (en rouge) : « C commandement du camp, E entrée, G gratte-ciel, H maison d'habitation, M mirador, P poste de police, 1 à 22 cages d'escalier. »

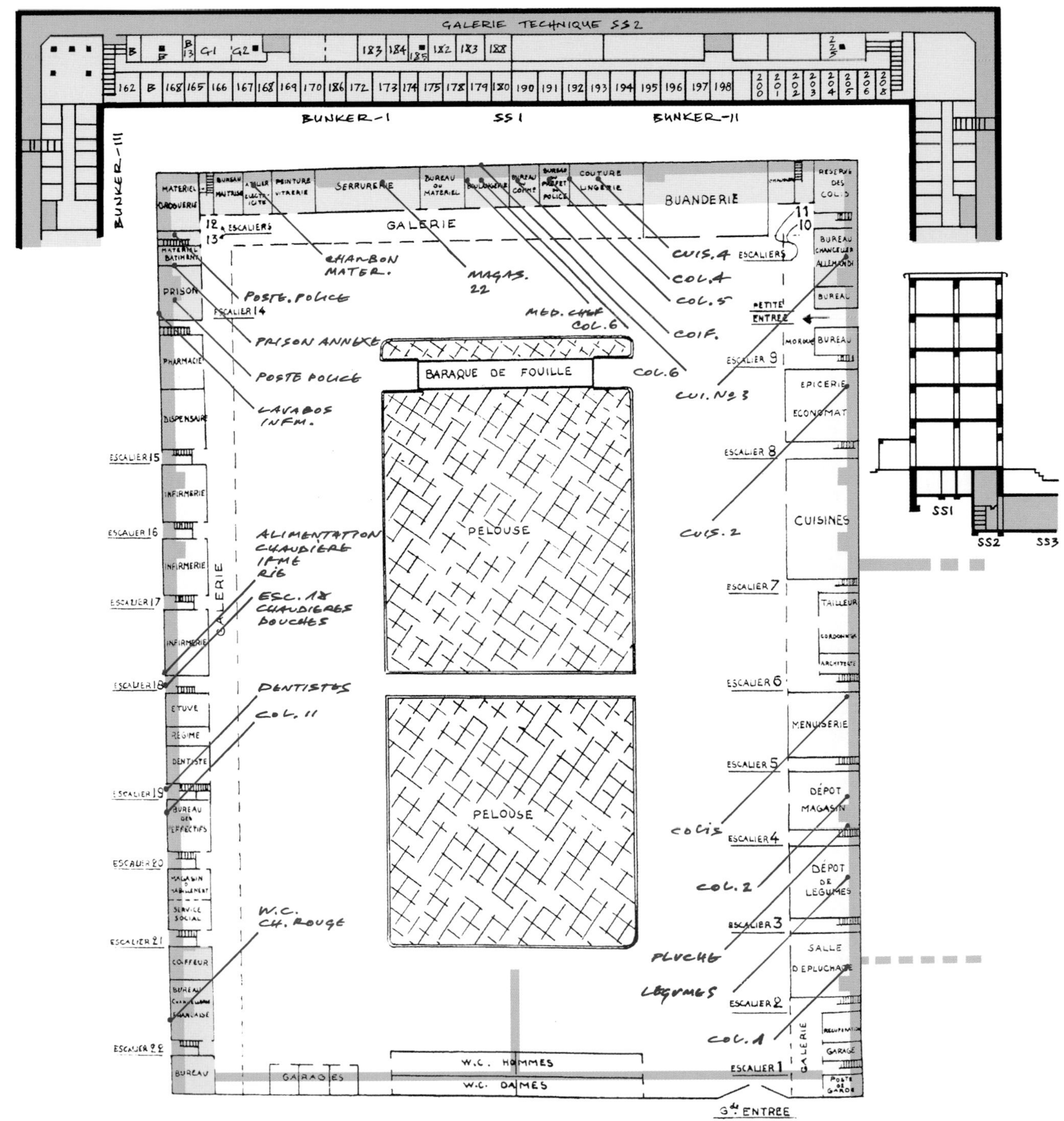

GALERIE TECHNIQUE SS2
BUNKER-I
SS1
BUNKER-II
BUNKER-III
GALERIE
BUANDERIE
BARAQUE DE FOUILLE
PELOUSE
PELOUSE
CUISINES
W.C. HOMMES
W.C. DAMES
GARAGES
Gde ENTRÉE
PETITE ENTRÉE
PRISON
PHARMACIE
DISPENSAIRE
INFIRMERIE
INFIRMERIE
INFIRMERIE
ETUVE
RÉGIME
DENTISTE
BUREAU DES EFFECTIFS
SERVICE SOCIAL
COIFFEUR
BUREAU
SERRURERIE
COUTURE LINGERIE
EPICERIE ECONOMAT
TAILLEUR
MENUISERIE
DÉPOT MAGASIN
DÉPOT DE LEGUMES
SALLE D'EPLUCHAGE
GARAGE
ESCALIER 1
ESCALIER 2
ESCALIER 3
ESCALIER 4
ESCALIER 5
ESCALIER 6
ESCALIER 7
ESCALIER 8
ESCALIER 9
ESCALIER 14
ESCALIER 15
ESCALIER 16
ESCALIER 17
ESCALIER 18
ESCALIER 19
ESCALIER 20
ESCALIER 21
ESCALIER 22
CHARBON MATER.
MAGAS. 22
POSTE POLICE
PRISON ANNEXE
POSTE POLICE
LAVABOS INFM.
ALIMENTATION CHAUDIERE IFME RIG
ESC. 18 CHAUDIERES DOUCHES
DENTISTES
COL. 11
W.C. CH. ROUGE
CUIS. 4
COL. 4
COL. 5
COIF.
COL. 6
CUI. No 3
CUIS. 2
COLIS
COL. 2
PLUCHE
LEGUMES
COL. 1
SS1
SS2
SS3

L'ancien Bloc III depuis la rue Auguste Blanqui (révolutionnaire républicain socialiste dit « l'Enfermé » en raison de ses 37 années d'emprisonnement).

REPÈRES

Ordre dans le désordre

La Cité de la Muette, ou « Shangri-la, le petit paradis », comme le proclamait une publicité, fut édifiée sur un site de 8,7 hectares dans une partie de Drancy appelée « La Muette » [1] dans un creux de terrain connu sous le nom de Marécage aux grenouilles, loin de l'agglomération existante et isolée des ruelles environnantes.

Avec sa subvention de 27 millions de francs et des emprunts autorisés par la loi Loucheur de 1928, l'Office public d'habitations bon marché (ODHLM) du département de la Seine innova. Les idéaux de la cité-jardin défendus jusqu'ici avec énergie par son président, l'ancien sénateur de la Seine et réformateur socialiste Henri Sellier, furent adaptés aux nouvelles techniques automatisées introduites dans la construction, projetant dans une forme d'habitation « rationnelle » les valeurs urbanistiques émergentes d'ordre et de densité. De la construction proprement dite – avec une préfabrication complète opérée sur le site – jusqu'à l'usage programmé, l'objectif était de réduire le travail : « Le rôle de l'architecte est de diminuer le travail forcé de la ménagère [2]. » A Drancy, celle-ci s'épargnerait 60 kilomètres de marche par an à l'intérieur de son appartement, parcourant 35 km au lieu de 95 dans un nouveau style de vie déterminé par la forme architecturale : une machine à habitation. Stimulé par une demande d'appartements formulée en 1924 par le Syndicat des chemins de fer sur fond de crise croissante du logement, le projet fut présenté en 1930 par les architectes Marcel Lods et Eugène Beaudouin qui, avec la Cité des Oiseaux de Bagneux, avaient pu expérimenter, sur une moindre échelle, de nouvelles techniques alliant panneaux de béton préfabriqués et armatures métalliques [3].

Le projet de la relier à la cité-jardin antérieure, située à 800 mètres au Nord-Ouest, fut vite abandonné en raison de la difficulté à acquérir les parcelles intermédiaires et à implanter un axe piétonnier cohérent. La « *régénération du tissu urbain* » et le « *meilleur accommodement de l'humanité à la lumière, la joie, la santé et la productivité économique* » dont avait rêvé Sellier pour Drancy ne devaient jamais voir le jour. Pourtant, la cité-jardin de la Muette était une première en Europe et devait servir de modèle à tous les grands ensembles et tours de logements édifiés en France après la guerre [4].

La crise économique affecta le projet avant même que le premier coup de pioche ne soit donné en 1932 sur une parcelle du site mesurant 360 x 160 mètres et orientée Est-Ouest. Six cent quarante-neuf appartements furent rayés d'un trait de plume, réduisant les 1 234 unités d'habitation originales à 585. Les cinq Tours de quatorze étages – les premiers « gratte-ciel » européens et l'élément phare du projet – ne furent conçues qu'en septembre 1931, après la réduction du nombre des appartements.

Dix immeubles de trois étages, mesurant chacun 80 mètres de long, et rattachés en paire à chacune des Tours, d'où leur nom de « Peigne », furent achevés en 1933, en même temps que deux des sept modules prévus d'habitation de quatre et six étages faisant face aux Tours et baptisés « Redan », un terme médiéval désignant un saillant défensif fortifié. Lods cherchait à rompre avec l'environnement jusque dans son langage. « *Là où il n'y a rien, l'ordre dans le désordre.* » L'amélioration annoncée du sort de la classe ouvrière, qui devait transformer celle-ci en « classe moyenne » et en faire une petite bourgeoisie ayant les moyens de se loger dans cet automate géant garni de panneaux d'oukumé, ne parvint pas à se matérialiser.

Il est intéressant par ailleurs de constater à quel point le projet de la Muette, pourtant fondé sur une idéologie profondément humaniste – et c'est bien là tout le paradoxe –, fut accueilli avec hostilité par le public. Tandis que la presse professionnelle louait le projet, le commun des mortels n'hésitait pas à parler d'« erreur » architecturale, de « tours de la honte »... Nous savons également que le chantier fut le théâtre d'arrestations lors de violents affrontements entre ouvriers grévistes et policiers [5]. Et enfin qu'en 1970, des blocs de fer furent récupérés dans des canalisations sabotées en 1934...

Une caserne comme les autres

La seconde phase de la construction fut lancée en 1934. Le Redan croupion pourrait avoir été achevé à ce moment-là. A l'ouest de celui-ci débuta l'édification de la « Cour d'entrée », trois bâtiments de quatre étages disposés en U et bientôt baptisés « Fer à cheval ». Tous les services sociaux, les institutions et les commerces prévus dans la Cité devaient s'installer autour de cette cour intérieure. C'est le seul vestige subsistant aujourd'hui du grand complexe. Toutes les autres structures prévues dans les plans, notamment l'« About », un complexe de bâtiments comportant une école qui devait s'élever sur le flanc occidental du site, furent abandonnées à cette époque.

Entre 1931 et 1936, Drancy perdit 8 000 habitants. Le père Liegibel affirme que la construction des Tours et du Peigne fut achevée entre 1932 et 1935 ; que les bâtiments de la « cour d'entrée » restaient « inachevés » en 1939, et que les premiers occupants des Tours furent des cheminots des Transports en commun de la région parisienne (TCRP) et les ouvriers de la Courneuve, lesquels s'empressèrent de déménager après avoir passé un hiver glacial et un été suffocant dans des appartements aux loyers inabordables [6]. Lods, pourtant, fut explicite : les logements de la Cité étaient impossibles à louer en raison de la crise économique ; les emplois rêvés par ses urbanistes ne s'étaient jamais concrétisés. Afin d'éviter l'embarras politique qu'aurait suscité l'accroissement du nombre de logements vides financés par l'OPHBM de la Seine, le complexe, bien qu'achevé, ne fut pas mis sur le marché et jamais répertorié.

Après l'achèvement de la première phase des travaux en 1933, l'OPHBM concéda un bail au ministère de la Guerre [7] qui prévoyait le cantonnement dans la Cité de la 22e légion de la Garde républicaine mobile (GRM).

« *En 1933, tout était pour le mieux, mais il y eut la récession de 1934-1935. En Angleterre et en Allemagne, on a construit terriblement pendant cette période-là, mais pas en France. Le chômage s'installa, les gens hésitèrent à déménager... Bref, un certain nombre d'H.L.M. demeurèrent vides. Pour ne pas augmenter le nombre de logements inoccupés à l'Office, on déclara à l'époque que la construction n'était pas achevée et on ne mit pas la Cité de Drancy en location ! Le résultat fut que, durant quatre années, tout l'ensemble demeura vide, servant de terrain de jeux aux enfants qui faisaient des cartons avec des frondes dans les vitres fraîchement posées. Ce fut ensuite l'occupation par les gardes mobiles... Ce fut catastrophique : le plan n'était pas celui d'une caserne !* [8] » Pourtant, plusieurs cités HLM en faillite furent octroyées à la GRM entre les deux guerres, comme à Stains et au Blanc-Mesnil, au nord de Paris.

D'après la tradition orale de la Cité, le U était destiné à accueillir les officiers et leurs familles. Beaucoup de survivants ayant été internés à Drancy au cours de l'année 1941 disent avoir découvert à leur arrivée un bâtiment à l'intérieur inachevé, dont les halls séparant les montées d'escalier présentaient encore un sol en ciment brut et n'avaient « pas encore » été divisés en appartements – sauf dans le bloc septentrional qui hébergera plus tard le personnel médical du camp et les détenus « employés », et, au quatrième étage, un peloton de sécurité de la Wehrmacht composé de cinq hommes. Un ancien ouvrier du bâtiment déclare cependant que dès le début de l'Occupation en 1940, les Allemands ordonnèrent « *de supprimer les pièces des appartements afin de faire de grandes salles* [9] ».

Le dessin du monde

En 1932, alors que l'on procédait aux ultimes mises au point du projet de la Cité de la Muette, Beaudouin entreprit une étude de la structure urbaine traditionnelle d'Ispahan pour l'École des Beaux-Arts, enrichissant ainsi son approche des espaces publics monumentaux qu'il avait eu l'occasion de développer lors des recherches qu'il avait menées sur la place Saint-Pierre du Vatican alors qu'il était pensionnaire de la villa Médicis à Rome.

Beaudouin redessina la Cour d'entrée de Drancy un mois après avoir présenté sa reconstitution académique du cœur de la capitale safavide du XVIe siècle, organisé autour de la monumentale Maidan-e Nasqsh-e Jehaan, ou Place de l'Image du monde du shah Abbas, la plus vaste place d'Asie occidentale.

Dérisoirement, le terrain de parade militaire royal fut transposé en miniature dans la Cité, dans ses proportions et son tracé, mais pas du point de vue de sa hauteur. Le périmètre de colonnades et de boutiques de son modèle persan était reproduit dans un volume radicalement diminué. L'initiative fut toutefois gâchée par une omission criante. A Ispahan, la Masjid-i-Shah faisait « respirer » toute la vieille ville au travers de sa « Porte exaltée », le Ali Qapu, qui la reliait axialement à la circulation du bazar environnant en polarité avec la Meynane Kohneh, ou Vieille Place.

Une église diocésienne qui, en centralisant l'entrée et la sortie des piétons, constituait depuis les tout premiers plans du projet drancéen la liaison axiale et l'élément fonctionnel unifiant de l'ensemble, figurait toujours à son emplacement sur le plan qu'on appelait désormais la « Grande cour », publié en décembre 1932. Sa suppression s'imposa en 1933, avec celle des services sociaux, de la crèche, de l'école et des boutiques qui auraient dû être regroupés autour d'elle, pour manque de financement.

A Drancy, cependant, le renoncement à la liaison vers le Nord-Ouest en direction de la cité-jardin de Drancy avait figé sa projection vers le Sud-Est comme entrée et principal passage à travers le complexe de la Cité de la Muette. Sans préjuger d'autres causes, c'est cette modification de la conception d'ensemble qui isola le U rogné et « *facilita sa transformation en centre de détention* [10] ».

En février 1934, des désordres et des affrontements avec la police causèrent six morts à Paris dans les plus graves émeutes qu'ait connu la capitale depuis la Commune. Aux élections suivantes, la droite accéda au pouvoir pour une période de dix-huit mois.

Achevée en 1934-1935, la Grande Cour présentait sur trois côtés une structure unique, un U aux deux angles désormais soudés. Entre la caserne principale située à l'Est et la Cour s'élevait une barre solide au lieu de l'allée couverte surélevée d'une longueur de 200 mètres envisagée à l'origine. Le groupe de bâtiments municipaux qui avaient été prévus sur le flanc sud de la Cour, et qui auraient formé une importante deuxième entrée dans la Cité, avait disparu. La Cour d'entrée était devenue une impasse, un cul-de-sac. Son étanchéité, la disposition régulière de ses entrées aux étages et la possibilité d'une surveillance visuelle totale à partir d'un point central de son périmètre en faisaient un instrument idéal de contrôle administratif et répressif. Plus tard, comme pour occuper le vide, la prison du camp – le « gnouf » – et le Bunker, regroupant les cellules d'isolement, occuperont précisément l'angle mort sur le site de l'église supprimée.

Premiers détenus

Un « Livre de souvenirs » confectionné par un membre de l'Escadron 34/1 de la Gendarmerie mobile de Drancy indique l'installation de la 22e Légion de la GRM dans la Cité de la Muette en 1937 ; l'album, manuscrit et non daté, paraît avoir été réalisé dans les années 1970.

L'historien Maurice Rajsfus signale les premiers détenus en octobre 1939, à la suite du décret Sérol interdisant le parti communiste. Cependant, le retrait durant deux semaines, à partir du 18 décembre 1938, des familles des gendarmes habitant dans les Tours ne laisse pas d'intriguer. Officiellement, il s'agirait d'une mesure sanitaire prise par le commandant de la caserne en raison d'une importante vague de grand froid. Mais ces dates coïncident aussi à peu de choses près avec celles des arrestations massives de manifestants opérées à la suite de la répression de la grève nationale du 9 novembre contre les décrets Daladier, qui entraîna le transfert de centaines de détenus dans les prisons et pénitenciers de tout le pays. Des syndicalistes interpellés furent-ils placés en transit à Drancy avant la fin de 1938 ? Est-ce un ouvrier qui cisela soigneusement et profondément la date « 1938 » dans une des briques du mur intérieur de la galerie technique du Fer à cheval afin de marquer, selon l'usage, l'entrée en service du bâtiment ? Ce qui est certain c'est que suite à la signature du pacte de non-agression germano-soviétique le 23 août 1939, le Fer à cheval commença à être utilisé pour interner des militants communistes et des membres de la « Cinquième colonne ». Puis certains des 17 000 réfugiés allemands, dont des « ex-Autrichiens » et des « ex-Tchèques », internés d'abord par le gouvernement Daladier puis par les suivants, échouèrent à Drancy avant d'être livrés à la Gestapo. Ensuite, le camp fonctionna sans interruption pendant sept ans, d'abord sous l'appellation *Frontstalag III*, lorsque y furent enfermés les prisonniers de guerre français capturés à l'été 1940, puis lorsque y furent internés les civils français renvoyés d'Allemagne, des prisonniers de guerre yougoslaves et des civils grecs, des prisonniers de guerre britanniques et canadiens, ou encore des détenus civils. Le Fer à cheval devint ensuite, à partir du 20 août 1941, un *Judenlager*, un camp pour Juifs, puis enfin, du 20 août 1944 jusqu'en 1946, un centre de détention pour les personnes accusées de collaboration [11].

La tenue

L'internement sous discipline militaire fut institué à Drancy par le préfet de police et le commandant de la gendarmerie de la région Paris le 26 août 1941, six jours après l'arrivée au camp des premiers détenus juifs. Réunis le lendemain à Drancy même, les représentants de l'administration militaire et de la police d'État allemande et, côté français, de la préfecture de police, de la préfecture départementale, de la police municipale et de la gendarmerie ainsi que le commandant du camp définirent l'organisation de Drancy. Le camp relevait de la responsabilité directe du préfet de police, sous l'autorité duquel étaient placés la gendarmerie, chargée de la sécurité, et les services d'approvisionnement de la préfecture de la Seine. Il en sera ainsi durant toute la durée de la guerre, y compris durant la période finale où Brunner assurera le commandement du camp. Sans la collaboration directe de la police et de la gendarmerie, la répression antijuive n'aurait jamais eu l'ampleur qu'elle atteignit dans le camp [12].
La coopération de certains détenus à leur propre administration, aussi manipulée fût-elle, voire forcée, contribua de manière cruciale à l'efficacité de l'opération.

Les Allemands stipulèrent les conditions auxquelles certains prisonniers pourraient être libérés, ce qui eut pour conséquence de dresser tous les autres prisonniers les uns contre les autres, les obligeant à collaborer dans le cadre d'un système d'« exceptions ». Quant aux autorités françaises, elles exigèrent que soient interdits le tabac, les visites, les communications avec l'extérieur, l'envoi du linge à laver aux familles ainsi que la réception de colis de nourriture, créant ainsi de fait les conditions d'émergence du marché noir [13].

L'armement des gendarmes fut amélioré. Ceux-ci demandèrent que l'on construise des cloisons supplémentaires dans les sous-sols et que l'on renforce le périmètre extérieur de sécurité du camp, une clôture de trois mètres de haut formée d'un triple rang de barbelés qui entourait les bâtiments sur quatre côtés, et ménageant à l'intérieur un chemin de ronde de trois à quatre mètres de large. Installées depuis un certain temps, les clôtures extérieures nécessitaient en effet déjà des réparations. La clôture reliait quatre miradors, un à chaque angle du camp, et englobait un étroit no man's land débroussaillé triangulaire jouxtant le bâtiment le plus à l'Ouest. La nuit, le terrain et les façades étaient illuminés par dix-neuf projecteurs.

Enfin, les minutes de la rencontre précisent que « *le commandant du camp désignera des locaux utilisables comme prison* » : la prison collective de deux pièces située au rez-de-chaussée, le « gnouf ». On pénétrait dans cette pièce par la cour, entre les entrées 13/10 et 12/11 [14], après avoir traversé le poste de garde avoisinant où s'effectuaient les fouilles corporelles et où étaient enregistrées l'infraction et la sentence appliquées au prisonnier.

La première mention du Bunker apparaît dans une note du *Journal* de François Montel, deuxième commandant du camp, qui précise qu'à l'hiver 1941, la prison avait été étendue aux sous-sols [15]. Chaque prison SS avait son Bunker ; à Drancy, que ce soit sous l'administration des gendarmes ou celle des SS à partir de juin 1943, la description des pratiques qui s'y déroulaient reste la même : isolement, semi-famine, nudité, punitions arbitraires et capricieuses, violences physiques systématiques. « *Les séances publiques de bastonnade et de rampement sur 100 mètres, accompagnées de coups de pied dans les flancs, cèdent bientôt la place au régime du cachot. Les condamnés, complètement nus, sont enfermés, seuls ou à plusieurs, enchaînés les uns aux autres, dans des loges aménagées dans la cave. L'obscurité, la diète, le froid forment le fond du supplice, complété une ou deux fois par jour par une bastonnade, une séance de flagellation du dos ou de la plante des pieds, le tout accompagné de menaces de mort, de fusillade pour le lendemain et de coups de revolver effectifs dans les jambes. Certains internés sont ainsi restés plus d'un mois sans autre nourriture qu'un peu de soupe et de pain, battus quotidiennement. Il était interdit aux médecins de soigner les blessés du cachot ; mais il leur arrivait, certaines nuits, de transgresser ces ordres* [16]. »

Aucune liste des prisonniers enfermés dans le Bunker lors de la libération de Drancy n'est connue. Se trouvent-ils dans la différence de quelque cinquante détenus entre, d'une part, les 1 467 noms figurant sur la liste de la Croix Rouge de détenus libérés de camp et, d'autre part, les 1 518 indiqués par d'autres ?

Drancy château

Lors de l'Épuration, la prison s'emplit de personnes accusées de collaboration et continua de fonctionner jusqu'en 1946. Drancy abrita alors un total de 4 200 à 6 000 prévenus faisant l'objet d'une enquête ou attendant leur procès. *L'Humanité* ironisa sur les conditions « luxueuses » accordées aux pensionnaires du « Drancy château ». Les cachots gardent de nombreuses traces de leur passage. La première inscription datée tracée par l'un de ces nouveaux détenus indique le 21 août 1944, soit trois jours après la libération du camp.

A leur retour d'Indochine, les gendarmes se réinstallèrent en 1954 dans les tours et le Redan. Parmi les quelque 350 gendarmes en poste à Drancy, 15 avaient fait l'objet d'une accusation pour actes de brutalité à l'encontre des détenus ; sur ces quinze, sept avaient été jugés en 1947 et quatre condamnés. En 1953, tous furent amnistiés.

En 1947, la Cité de la Muette fut divisée en 368 studios et deux-pièces, qui abritent aujourd'hui 466 résidents à revenus modestes. Le Bunker, enveloppé d'ombres, fut oublié. Ses cellules s'emplirent du bric-à-brac délaissé de la vie quotidienne, avant d'être peu à peu abandonnées à mesure qu'évoluait la démographie de la Cité. Vendue au ministère de la défense par l'Office départemental d'habitations à loyer modéré (ODHLM) en 1973, la caserne fut rasée puis reconstruite. A deux kilomètres le terrain de la gare, « porte d'Auschwitz », fut loué par la SNCF à un ferrailleur qui en fit un dépôt de déchets métalliques.

Monument malgré-lui

A la différence d'autres sites de massacre, la Cité de la Muette ne s'est pas vu accorder le statut de monument historique suite à la guerre. Drancy a disparu, ou bien a été effacé de l'imaginaire collectif par sa réhabilitation en logements publics en 1948. Selon l'ouï-dire, notamment au niveau administratif, « rien d'intérêt historique » n'en restait.

La « modernisation » de la façade de la Muette prévoyant le remplacement des huisseries des baies vitrées coulissantes dessinées par Jean Prouvé par des fenêtres standardisées en PVC-double vitrage débuta en janvier 2000 avec un permis de construire délivré dans les règles, sans que la Préfecture ni l'Inspection des monuments historiques de l'Île-de-France ne s'y opposent. Très peu de voix de résidents se sont soulevées contre le projet au début du chantier [17]. Un vœu antérieur, formulé par le Conservatoire historique du camp de Drancy (CHCD) en vue du classement des lieux pour leur souvenir intangible de la déportation, n'avait jamais reçu de réponse [18]. Selon l'historienne Annette Wieviorka, ni les organisations de la communauté juive, ni celles des survivants de la déportation n'avaient jamais réclamé une procédure de classement [19]. Les photographies des traces laissées dans les caves, autant d'indices de « l'intérêt historique » du site, m'ont permis alors de demander le classement de l'ensemble de la Cité et de la gare de Bobigny, tête de ligne ferroviaire du camp, afin d'empêcher la disparition de ce « document original » de l'histoire [20].

Cependant, il est plus facile de plastiner un cadavre qu'un corps vivant, et c'est le cas de la Cité de la Muette. L'Inspection des monuments historiques s'efforça de contourner l'obstacle en déployant un double langage dans sa plaidoirie ; tout en déplorant le reniement de Drancy, elle le transmet.

« *Le refoulement concernant la Cité de la Muette n'est pas le seul fait des maîtres d'œuvre* [...]. *Les autorités françaises ont été, pendant des décennies, comme frappées d'amnésie à l'évocation de Drancy. En 1976 par exemple, lors du projet de démolition des trois quarts de la Cité* [le Fer à cheval a été épargné du fait qu'il n'appartenait pas à l'armée], *une levée de boucliers a bien eu lieu pour faire capoter le projet, mais le critère avancé n'a jamais été le lieu de mémoire mais* [...] *son importance dans l'histoire de l'architecture* [21]. » Enfin, on a pu lire qu'« *après la guerre, les bâtiments restèrent un temps à l'abandon* [22] » alors que 6 000 personnes accusées de collaboration furent détenues à Drancy [23] durant cette période en attendant l'instruction de leur dossier et leur procès...

Aujourd'hui, « *ces bâtiments représentent une lourde symbolique mais une protection forte se heurte aux problèmes liés à l'occupation des logements* ». Tout en arguant la protection du « *lieu chargé de témoignages et de vestiges très présents* [où] *mémoire et bâtiments sont intimement liés et que toute transformation du bâtiment altèrerait la mémoire du lieu* », son conservateur a précisé que l'éventuelle inscription sur l'Inventaire supplémentaire des monuments historiques ne devait concerner que les façades et les toitures, les cages d'escalier, les caves, le tunnel et le sol de la cour, à l'exclusion de l'intérieur des appartements [24]. Résultat : étrange cohabitation de mémoires situées aux antipodes. L'intérieur du bâtiment étant déjà transformé, il s'agissait d'y installer l'oubli. En accordant à la Cité une sorte « d'exception culturelle », un processus de déconstruction, de morcellement du classement a été enclenché. Mémoire extérieure, mémoire passagère, mémoire touristique. La mémoire n'est pas alors présentée, mais représentée, médiatisée.

Sur le coup, la séance réquisitoire devant la commission de classement a frôlé la négation : le bâtiment devait être exempté de la protection accordée aux caves, disaient certains ; bref, on ré-enterre la mémoire. « *Laissez les appartements vivre leur vie* [sinon] *les logements seront soit trop inconfortables soit trop chers et désertés par des locataires à revenus modestes.* » On proposait que seuls les caves et le tunnel creusé par les détenus en 1943 soient protégés, en faisant remarquer qu'on « *détruit fréquemment de nombreux ensembles de ce type en France* [25] », comme si un « lieu de mémoire » loin d'être indivisible pouvait se réduire à des « éléments », des pièces détachées en somme : Cité de la Miette.

Finalement, l'inscription de la Cité de la Muette à l'Inventaire des monuments historiques nationaux fut approuvée le 26 septembre 2000 à une voix de majorité (9-8) par la Commission régionale du patrimoine et des sites de l'Île-de-France, et enfin officiellement signée en tant qu'arrêté le 25 juin 2001 par la ministre de la Culture Catherine Tasca avec l'accord de l'ODHLM [26]. La façade, les toits, les sous-sols, les cages d'escalier, la cour centrale et le tunnel d'évasion se retrouvaient protégés. Exclus les appartements, les locaux du rez-de-chaussée, les promenades extérieures nord et est, la cour ouest et le pavillon qui servait de poste de garde au *Sicherheitsdienst* des SS.

Un peu plus tard, l'inscription à l'Inventaire supplémentaire des monuments historiques fut accordée à la gare de Bobigny, malgré le projet de morcellement en parcelles du site dans le cadre du plan régional de développement, lequel exigeait l'élargissement des voies pour le passage du TGV.

Aujourd'hui, l'arrêté de protection n'a en rien modifié les pratiques d'utilisation des caves. Certains sols en terre battue ont été supprimés, des murs ont été repeints ou démolis pour laisser place à des aménagements réalisés à un rythme de plus en plus rapide par des bailleurs commerciaux. D'anciens appareillages ont été démontés dans la galerie technique. Le Comité national de pilotage pour la mémoire de Drancy a annoncé en 2004 la reprise de la modernisation des bâtiments. « *La Cité de la Muette restera, et c'est important, un lieu de vie* [27]. » Il est prévu que les récentes fenêtres en PVC soient démontées et remplacées par des huisseries spécialement conçues, devant « *coller au plus près du modèle d'origine* » dessiné par Prouvé. Les retombées économiques de la mémorialisation ne sont pas le genre de choses qu'une commune ou un département sont prêts à sacrifier dans une région qui attire chaque jour de l'année 250 000 touristes étrangers. Il est prévu qu'un « *véritable lieu de mémoire* » virtuelle de 1 000 m², géré par la Fondation pour la mémoire de la Shoah (FMS) à Paris, soit édifié en dehors de la Cité, face à elle, sur l'avenue Jean-Jaurès, ce qui aurait pour effet la démolition d'un des quatre bâtiments d'avant-guerre qui se dressent encore dans l'enveloppe historique du camp [28]. Dans la droite ligne d'un urbanisme qui, depuis un demi-siècle, a peu à peu bâché la Cité derrière des écrans et des bancs fleuris, on pénètrera dans cet « édifice visible » de la postmémoire en tournant le dos à la Muette.

1. Liegibel, *op. cit.*, p. 147-152. (Voir p. 58 du présent ouvrage.)
2. *Construire,* film réalisé en 1931 par B. Levy pour l'OPHBM.
3. Liegibel, *op. cit.*, p. 152.
4. *Ibidem,* p. 154.
5. Garcia, Frédéric, *« La Muette Drancy 1935, un grand ensemble... », Mémoire,* IPA1, Paris, 1975, p. 43 ; copie consultable aux Archives municipales de Drancy.
6. Liegibel, *op. cit.*, p. 152.
7. Inizan, *op. cit.*, p. 12-13. (Voir p. 58 du présent ouvrage.)
8. Laisney, François, et Baty-Tornikian, Ginette, *Grandeur et misère d'un chef-d'œuvre rationaliste,* entretien (de juillet 1976) avec Marcel Lods, *L'Architecture d'aujourd'hui,* n°187, octobre 1976, p. 101.
9. Garcia, *op. cit.*, p. 64.
10. Weddle, Robert, *Urbanisme, logement et technologie dans la France de l'entre-deux-guerres ; le cas de la Cité de la Muette à Drancy*, IFA, Paris, 1999, I-49.
11. Rajsfus, *op. cit.*, p. 31. (Voir p. 31 du présent ouvrage.)
12. *Ibidem*, p. 193.
13. Rajsfus, *op. cit.*, p. 43-44 ; CDJC-*CXCIV-79* ; Wieviorka, Annette, « Les Biens des Internés des camps de Drancy, Pithiviers et Beaune-la-Rolande », *Mission d'étude sur la spoliation des Juifs de France*, La Documentation française, Paris, 2000, p.13.
14. L'ordre original des numéros d'entrée, dans le sens contraire des aiguilles d'une montre, fut inversé après-guerre à l'occasion de la réhabilitation des lieux. Dans les indications du texte, le numéro original est suivi du numéro d'après-guerre.
15. Montel, François, *Journal de Compiègne et de Drancy*, FFDJF, Paris, 1999, p. 73.
16. Darville, Jacques et Wichené, Simon, *op. cit.*, p. 33.(Voir p. 165 du présent ouvrage.)
17. Nadine Dufresne, une locataire de la Cité, est intervenue auprès du maire (PC) de Drancy en janvier 2000 afin de protester contre la dégradation du caractère historique du bâtiment, sans suite. En septembre 1999 d'autres locataires auraient récolté quelques dizaines de signatures sur une pétition contre le retrait des fenêtres, sans faire fléchir l'ODHLM. L'immense majorité des habitants semblait accueillir favorablement la mise aux normes, évoquant souvent la nuisance quotidienne du bruit occasionné par l'ancien système coulissant, tandis que l'ODHLM s'attendait à faire des économies sensibles sur la note de chauffage.
18. Lettre de Richard Haddad, président du CHCD, aux autorités chargées du patrimoine départemental, en date du 18 décembre 1998.
19. Wieviorka, Annette, « La représentation de la Shoah en France : mémoriaux et monuments » in Boursier, Jean-Yves (dir.), *Musées de guerre et mémoriaux, politiques de la mémoire,* conférence, 16-17 octobre 2000, Maison des sciences de l'homme, Paris, 2005, p. 51-52 : « C'est le travail du photographe William Betsch qui fut à l'origine d'une procédure de classement que ni les organisations de la communauté juive, ni celles des survivants de la déportation n'avaient jamais réclamée. »
20. Betsch, William, *Pour la protection urgente de Drancy, rapport et demande de classement du site auprès de l'Inspection des monuments historiques, Direction régionale des affaires culturelles – Île-de-France (DRAC),* Ministère de la culture, 9 juin 2000, p. 27 suiv. et annexes, illustré ; *Pour la protection urgente de la Gare de Bobigny,* rapport et demande de classement du site auprès de l'*Inspection des monuments historiques, Direction régionale des affaires culturelles – Île-de-France (DRAC),* Ministère de la culture, 24 septembre 2000, p. 22 suiv., illustré ; « *Classement ou coup de grâce ?* », *Lettre du CHCD,* n° 6, juillet 2003 ; « *Drancy la Muette* », *Diasporiques,* n° 18, juin 2001, p. 45-46, illustré ; « *Paysages français de la Solution finale* », *Lettre du CHCD*, n° 3, juillet 2000, illustré, p. 21. La circulaire ministérielle du 18 juin 1999 prévoit, aux conditions spécifiées, la protection provisoire du site pour une durée de trois ans afin d'en permettre l'étude technique en vue de son inscription à l'inventaire des monuments historiques nationaux régi par la loi du 13 décembre 1931 sur le patrimoine national.
21. Inizan, *op. cit.*, p. 2.
22. Inizan, *op. cit., Historique*, p. 16.
23. *PP Cote BA-2369*, *Listes d'« internés » détenus à Drancy après 1944 pour faits de collaboration*, Service Archives, Préfecture de Police, Paris. Sur l'adaptation des camps à la détention de personnes accusées de collaboration, *cf.* Peschanski, *op. cit.*, p. 456-473. (Voir p. 125 du présent ouvrage.)
24. *Commission régionale du patrimoine et des sites Île-de-France,* séance du 26 septembre 2000, minutes, p. 16-17.
25. *Ibidem.*
26. *Ministère de la culture et de la communication, Arrêté* n° MH.01-IMM.022, 25 mai 2001 ; *Commission régionale du patrimoine et des sites Île-de-France,* séance du 26 septembre 2000, minutes, p. 18 : pour l'inscription à l'Inventaire des Monuments historiques, 12 pour, 2 contre, 3 abstentions ; les conclusions en faveur du classement approuvées par la Commission régionale des monuments historiques, 9 pour, 6 contre, 2 abstentions.
27. Auda, Guillaume, cité dans *Le Parisien*, 11 novembre 2004.
28. L'émouvant et indépendant Conservatoire historique du camp de Drancy, 15 rue Arthur-Fontaine, Cité de la Muette, 93700 Drancy, cessera de fonctionner. Créé en 1989 avec l'aide du maire communiste de Drancy Maurice Niles, il présentait d'abondantes archives photographiques et documentaires sur la construction et la démolition de la Cité et une collection permanente d'artefacts du camp confiés par des survivants. Depuis sa création il y a près de vingt ans, le conservatoire a reçu chaque année 2 000 élèves et étudiants dans le cadre de rencontres avec des survivants. Collection et archives seront transférées au Centre de documentation juive contemporaine (CDJC).

PAGE CI-CONTRE : Tag dans la Cité de la Muette ; numéro de matricule d'un survivant juif d'Auschwitz ; tag à Barbès.

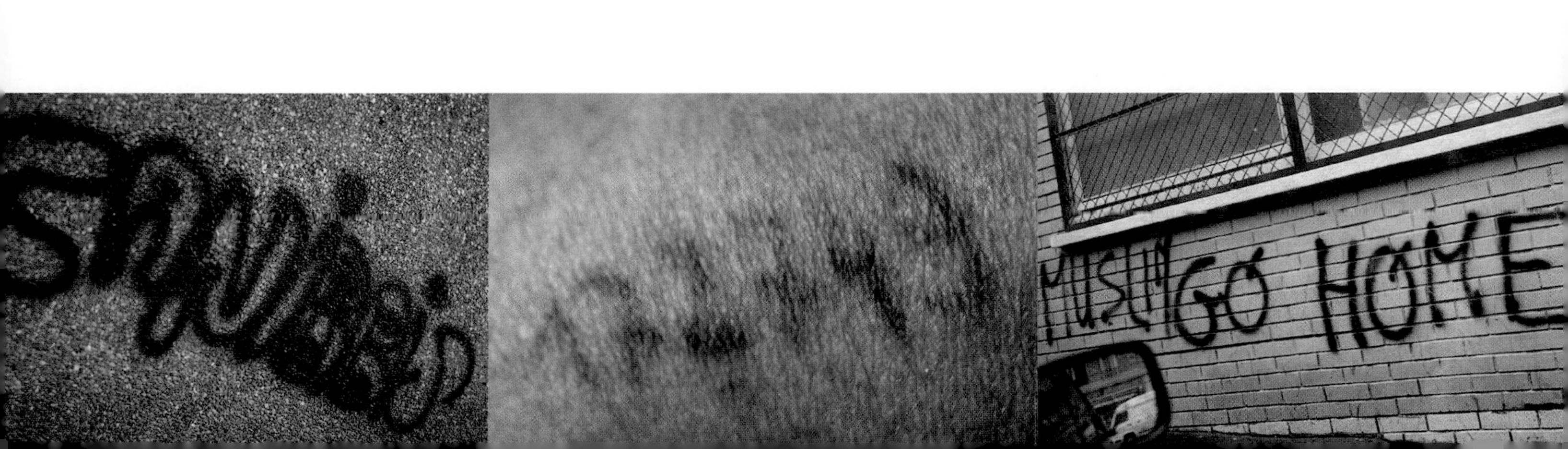
MUSLIM GO HOME

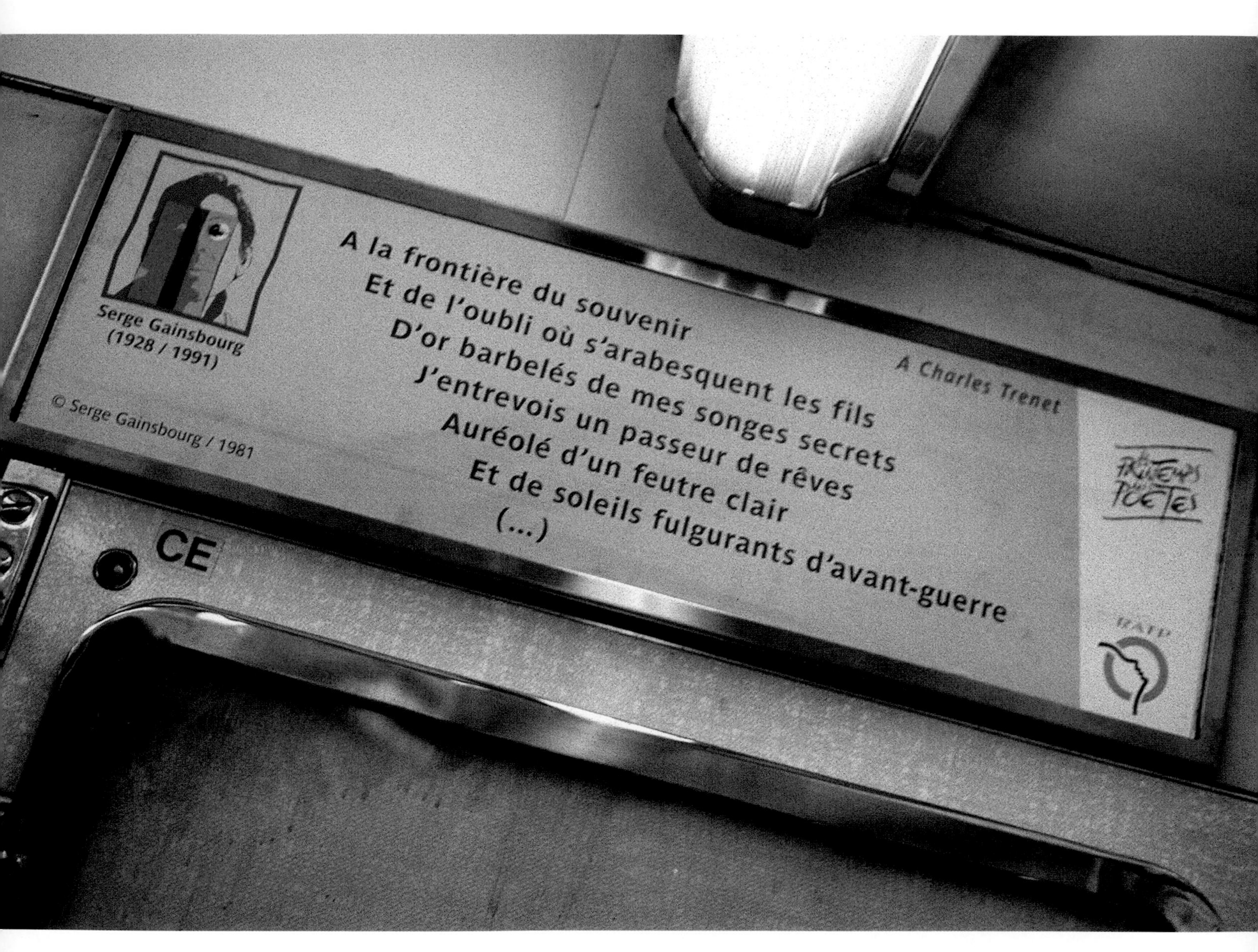

Chanteur de « Douce France » (1943), de « La marche des jeunes » (1942) et de « C'est bon » (1943), Trenet attendit 1992 pour évoquer son souvenir de l'occupation : « *Nous on savait* ».

La cave dite « La chambre de torture », reprise après la guerre par le boucher H. Papon. Journal *Le Parisien* du 8 juin 1948.

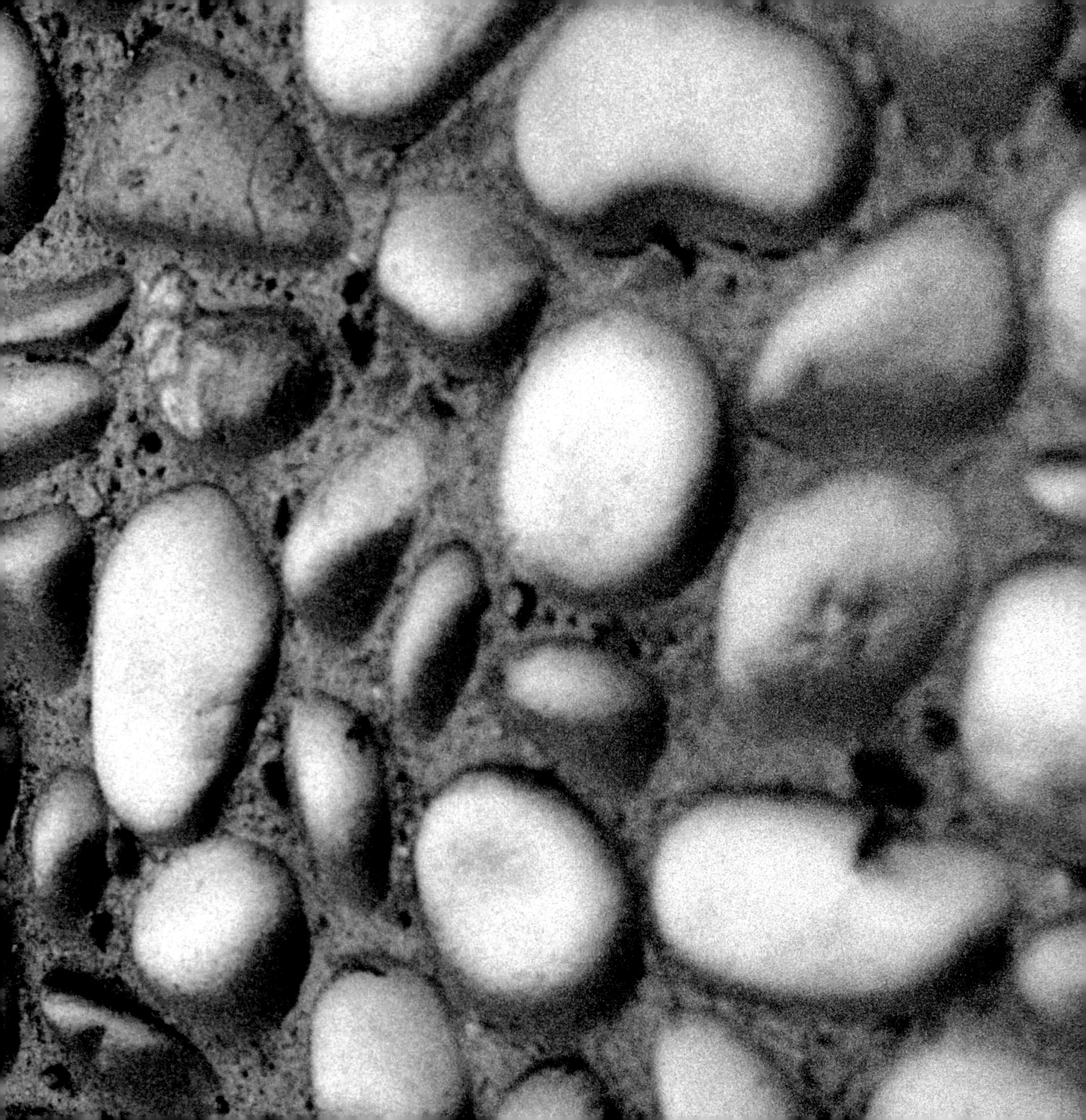

DOUBLE PAGE PRÉCÉDENTE : Des « rideaux » de béton vibré mélangé à des cailloux de marbre de Carrare constituent les murs de la Cité de la Muette.

Pour Andrea.

Les photographies des pages 4 à 28 ont été prises entre février 1998 et la fin de 2000 sur les avenues Henri Barbusse et Jean Jaurès à Drancy près de la Muette, ou dans la Cité, notamment au Club de Modélisme Drancéen, dont le local servit autrefois comme infirmerie du camp ; ou dans sa section Trains, située dans l'ancien bureau du commandant juif du camp.

Les photographies des intérieurs et des sous-sols de la Cité ont été prises entre octobre 1999 et juin 2000 ; celles de la gare de Bobigny, entre février 1998 et décembre 2000.

Les photos d'archives : p. 8, « *Mesures contre les juifs, camp de concentration de Drancy ; dans la cour, sont rassemblés les Juifs avant leur transport vers l'Est* », Wagner, Propaganda Abteilung Frankreich, 3 décembre 1942 (Bibliothèque nationale, Cabinet des estampes) ; p. 20, « *France, 1938* » (Collection CHCD) ; p. 27, déchargement de détenus à Drancy, 1942 (Collection Strasser) ; p. 68, « *C'est là que les femmes juives se trouvent bien* », Wagner, Propaganda Abteilung Frankreich, 3 décembre 1942 (BN).

L'épigraphe : rabbin Nahman de Braslow, petit-fils du Bsht, Ba'al Shem Tov ou le Maître du Nom divin, le rabbin Yisrael ben Eliezer, fondateur du hassidisme.

J'exprime ma reconnaissance toute particulière à Mateja Koropec pour la mise en forme de ma maquette originale. Sans son talent et son courage, le livre n'aurait peut-être jamais vu le jour.

Sylvie Goubin m'a assisté dans l'exploration initiale des sous-sols, et William Alix, Patrice Bottier, Catherine Guillaume, Nicholas Kamm, Paul Armel M'Belel, Françoise Perret, Cristina Sanmartín, Chantal Steinberg m'ont aidé sur le terrain, pour les recherches et la préparation du texte. Leurs conseils et leur soutien m'ont été indispensables.

La compréhension et la confiance d'Alain Kremenetzky et de Gérard Locquet ont été les clés de ce projet.

Je suis reconnaissant aux Archives municipales de Bobigny ; Archives municipales de Drancy ; Bibliothèque Elsa Triolet, Bobigny ; Bibliothèque municipale de Bobigny ; Bibliothèque municipale de Drancy ; Cabinet des estampes, Bibliothèque Nationale ; Cabinet Grahal ; Centre de Documentation Juive Contemporaine ; Escadron 34/1 de Gendarmerie Mobile ; Inspection des Monuments Historiques, DRAC Île-de-France ; Institut Géographique National ; Service Culturel de Drancy ; Service Historique de l'Armée de Terre ; Service Musique, Gendarmerie Nationale ; Service d'Urbanisme de Drancy pour leur aide.

Je remercie Philippe Boudin, gardien à la Muette ; Guy Gérard et Yves Nedelec de l'Office Départemental d'HLM de Seine-Saint-Denis ; Pierre, Alain et Françoise Lautard et l'équipe de SAS Lautard ; Bernard Birsinger, député-maire, Jean-Claude Fouqueau, directeur-général adjoint, et l'équipe de la Ville de Bobigny ; Gilbert Conte, maire, et l'équipe de la Ville de Drancy ; Raphaël Chemoni, président, et le Conservatoire Historique du Camp de Drancy ; Dore Ashton, Sue Ferguson Gussow, John Harrington et l'équipe du Cooper Union ; Guy Jouaville du Parvis ; Olivier Lemaître et l'Absynthe Productions pour leur soutien.

Je remercie les résidents et commerçants de la Cité de la Muette qui m'ont ouvert leur porte, notamment Dominique Adoni, Grégory Basic, Traoré Boubacar, Stephane Bouhier, Alain Bultez et messieurs Chenère et Marchot du Club de Modélisme, André Colbus, Aurélie Courtel, Fatileh Malekahmadi, Georges Greiling, Hasan Hammoudi, Atelier Jalnad, Christelle et Ludovic Lasne, Edwina et Bruno Legon, Christian Monfray, Yann Plissonneau et Sonia Coyard, Sébastien Ramirez, Mauricette Rolland, Ian et Isabelle Roussel, Thierry Véronese.

Je remercie Philippe Aronson, Dr. Henri-Victor Batlaj, Jean-Louis Battioni, Jacques B'Chiri, Jean-Michel Belorgey, Frédérique Blanchot, Michel Borjon, Anne Bourgon, Jean-Jacques Brilland, Berthe et Jacques Burko, Céril Cadet, Jean-François Camp, Francine Christophe, Jean-Louis Cohen, Valérie Contebordiau, Didier Daeninckx, Claude Danjou, Anne Dao, Daniel de Brey, Frank Donegan, Isabelle Drevet, Philippe Driss, Samantha Dubois, Marcel Eskenazi, Jean-Marc Eskenazi, Sophie Euscheler, Véronique Evanno, Tom Gandolfini et Barbara Laborde, Frèdéric Garcia, Criss Garrett, Marie-France Gleize, Serge Goldberg, Capitaine Alain Grandjean, Bernard Grinfeld, Richard Haddad, Willie Holt, Christelle Inizan, Anne Jestin, Dalu Jones, Gabriel Joseph-Dezaize, Alison Kamm, Fred Kamm, Sara Kremenetzky, Annie La Croix-Riz, Dalit Lahav, Philippe Lazar, Léon Lehrer, Alix MacSweeney, Winne Maryse, Patricia Maupas, Thomas Mazzière, Martine Molas, Jeannette Moraud, Vaclav Neumann, Otto, Tim Page, Didier Pallages, Bénédicte Penn, Debra Peyton et famille, Carine Piau, Caroline Piel, Max Polonovsky, Maurice Rajsfus, Alma Rota, Elie Sajovic, Pascal Simonetti, Annie Stablum, Georges Stylianos, Dominique Tabah, Lucien Tinader, Bernard Toulier, Victor Ulmo, Vanessa Tordjman, Annie Valot, Steve Wilkinson. Par ses gestes, chacun a contribué à la réalisation de cet ouvrage.

– WB

EN COUVERTURE : Galerie technique, Cité de la Muette.

EN QUATRIÈME DE COUVERTURE : Dates inscrites dans les sous-sols de la Cité de la Muette.

Publié en France par les Éditions Thames & Hudson SARL, France.

Traduit de l'anglais par Gilles Berton.

Cet ouvrage mis en pages par Thames & Hudson a été reproduit et achevé d'imprimer en janvier 2010 par l'imprimerie SNP Leefung pour les Éditions Thames & Hudson.

Dépôt légal : 2e trimestre 2010
ISBN : 978-2-87811-330-3
Imprimé en Chine

www.thameshudson.fr